W9-CHP-015

#16

Kaufman Brentwood Branch Library
11820 San Vicente Blvd.
Los Angeles, CA 90049

LA GACETA DE LANDRY

Para mi hermano Denney: buen escritor,
buen periodista. Buen hombre
A. C.

Coordinación de la colección: Pilar Armida
Cuidado de la edición: Carla Hinojosa Guerrero
Coordinación de diseño: Javier Morales Soto
Formación: Sofía Escamilla Sevilla
Traducción: Ix-Nic Iruegas
Ilustraciones: Luis San Vicente

La Gaceta de Landry

Título original en inglés: *The Landry News*

Texto D. R. © 1996, Andrew Clements
Primera edición en inglés: febrero de 1998
Publicado por acuerdo con Atheneum Books For Young Readers,
un sello de Simon & Schuster Children's Publishing Division.

Primera edición: abril de 2019
D. R. © 2019, Ediciones Castillo, S. A. de C. V.
Castillo ® es una marca registrada.

Insurgentes Sur 1886, Florida,
Álvaro Obregón, C. P. 01030,
Ciudad de México, México.

Ediciones Castillo forma parte del Grupo Macmillan.

www.grupomacmillan.com
Lada sin costo: 01 800 536 1777

Miembro de la Cámara Nacional de la Industria Editorial Mexicana.
Registro núm. 3304

ISBN: 978-607-540-552-0

Prohibida la reproducción o transmisión parcial o total de esta obra por cualquier
medio o método, o en cualquier forma electrónica o mecánica, incluso fotocopia
o sistema para recuperar la información, sin permiso escrito del editor.

Impreso en México / *Printed in Mexico*

16 KAUFMAN BRENTWOOD   MAY 1 1 2021

ANDREW CLEMENTS

Ilustraciones de Luis San Vicente

LA GACETA DE LANDRY

Traducción de Ix-Nic Iruegas

S
x

CASTILLO DE LA LECTURA

2456 1641 B

—¡Cara Louise, te estoy hablando!

Cara Landry no le respondió a su mamá. Estaba ocupada: sentada en la cocineta, frente a la mesa plegable color gris y un montón de papeles rotos, intentaba pegar los pedazos con cinta adhesiva.

Poco a poco, unía los fragmentos sobre una hoja en blanco de cerca de cuarenta y cinco centímetros de ancho. La parte superior ya comenzaba a tomar forma: una fila derechita de letras escritas con mucho cuidado para que pareciera el titular de un periódico.

—Cara, mi amor, me prometiste que no empezarías con eso de nuevo. ¿No aprendiste absolutamente nada la última vez?

La mamá de Cara se refería a lo que ocurrió en la escuela a la que la niña asistió durante casi todo el quinto grado, inmediatamente después de que su papá se fue. Allí hubo algunos problemas.

—No te preocupes, mamá —respondió Cara distraída, absorta en su labor.

Cara Landry había vivido únicamente seis meses en Carlton. Desde el día en que se mudó allí, durante el mes de abril cuando cursaba el quinto grado, todos en la nueva escuela la habían ignorado por completo. Para los otros niños era fácil hacerlo pues era otra matadita callada, del tipo que siempre entrega las tareas a tiempo y saca diez.

Todos los días Cara llevaba puesta una falda de cuadros cafés y una camisa blanca muy limpia, tan predecible como el diseño del piso del salón. Era una niña de altura promedio, brazos y piernas delgados, calcetines blancos y zapatos negros. Su pelo castaño claro siempre lo llevaba recogido en una colita de caballo, y sus ojos azul pálido casi nunca hacían contacto con los de nadie más. En lo concerniente a los otros niños de la escuela, Cara estaba ahí, pero apenas era perceptible.

Todo eso cambió una tarde poco después de que Cara empezó el sexto grado. Para ella, aquél era un viernes como cualquier otro en la Escuela Primaria Denton. La primera clase era Matemáticas, luego Ciencias, Deportes, recreo, Ciencias de la Salud y, al final, la clase de Lectura, Ciencias Sociales y Literatura en el salón del maestro Larson.

El maestro Larson era el tipo de profesor sobre el cual los padres de familia mandan quejas al director. Cartas como:

Querido director Barnes:

Sabemos que nuestro hijo va sólo en segundo año pero, por favor, asegúrese de que, cuando llegue a sexto, no esté en el grupo del maestro Larson.

Nuestro abogado dice que tenemos derecho a informar al director de las elecciones educativas que hacemos para nuestro hijo y que usted no puede decirle a nadie que le mandamos esta carta. De modo que, de nuevo, le suplicamos que tome las medidas necesarias para que nuestro hijo no esté en el grupo del maestro Larson.

Atentamente,
Las señoras y los señores de Carlton

Sin embargo, alguien tenía que estar en el grupo del señor Larson, y si tú mamá estaba siempre demasiado cansada como para estar en la sociedad de padres de familia o ser delegada voluntaria o vocal, y si pasabas mucho rato en la biblioteca leyendo sola o sentada en tu casa haciendo tarea, era posible llevar viviendo en Carlton seis meses sin haberse enterado de que el maestro Larson era un muy mal maestro. Y si tu mamá no sabía que debía enviarle una carta al director de la escuela, prácticamente estabas condenada a tenerlo como profesor.

El maestro Larson afirmaba creer en la educación abierta. En la sesión de maestros y padres de familia que se llevaba a cabo cada mes de septiembre, el maestro Larson explicaba que los niños aprenden mejor cuando lo hacen solos. Esta idea sobre el aprendizaje no era nueva, pues había sido usada de forma exitosa por prácticamente todos los profesores del país, pero el maestro Larson la usaba de forma especial. Casi todos los días comenzaba la clase con una lectura, una hoja de ejercicios o una lista de palabras; luego iba a su escritorio, se servía un poco del café que llevaba en un enorme termo rojo, abría el periódico y se quedaba sentado, leyendo.

A lo largo de los años, el maestro Larson aprendió a ignorar el caos que hacía explosión en el salón todos los días. A menos que escuchara el ruido de un vidrio rompiéndose, algún grito o una mesa partiéndose a la mitad, el maestro Larson ni siquiera levantaba la mirada. Si algún otro maestro o el director se quejaban del ruido, le pedía a algún alumno que cerrara la puerta y volvía a la lectura del periódico.

Aunque el maestro Larson llevaba ya varios años sin enseñar gran cosa, en el salón 145 se había generado una buena cantidad de aprendizaje a lo largo del tiempo. El salón mismo tuvo que ver mucho, pues era como un enorme glaciar educativo que concentraba el material acumulado. Toda revista a la que el maestro Larson estaba suscrito o que había comprado a lo largo de los últimos veinte años había sido leída en el salón de clases: *Time, Good Housekeeping, U.S. News & World Report, Smithsonian, Cricket, Rolling Stone, National Geographic, Organic Gardening, Boys' Life, The New Yorker, Life, Highlights, Fine Woodworking, Reader's Digest, Popular Mechanics* y decenas más. Las revistas abarrotaban las repisas y cada rincón del salón. También había muchos periódicos apilados frente a las ventanas; los más recientes estaban junto a la silla del maestro Larson. Este montón alcanzaba casi la altura del escritorio y era un excelente lugar para poner la taza de café.

Cada centímetro cuadrado de pared y una buena parte del techo estaban tapizados con mapas, carátulas de tareas, recortes de periódico, impresiones de oraciones diagramadas, caricaturas, decoraciones de Halloween, una tabla sobre la escritura cursiva, citas del Discurso de Gettysburg, la Declaración de Independencia y la Declaración Universal de los Derechos Humanos: era un desconcertante amasijo de información histórica, gramatical y literaria.

Los periódicos murales eran como enormes viajes en el tiempo, un *collage* gigante, desvencijado y colorido. Cuando el maestro Larson encontraba algún artículo, cartel o ilustración que le parecía interesante, lo engrapaba a la pared y siempre invitaba a los alumnos a hacer lo mismo. Sin embargo, durante los últimos ocho o diez años, el maestro Larson no se había molestado en quitar los papeles viejos. Cada varios meses —especialmente en días muy calurosos y húmedos— el peso del papel acumulado era demasiado para las grapas y una silenciosa avalancha de recortes caía hasta el suelo. Cuando aquello ocurría, el comité de reparación conformado por los alumnos sacaba la engrapadora de pared del gabinete de material escolar y todo el lugar se sacudía mientras volvían a colocar sobre el muro los retazos de historia.

Por todo el salón 145 había pequeños libreros y repisas que albergaban novelas de misterio, libros ganadores de la Medalla Newberry, ficción histórica, biografías y cuentos, además de almanaques, libros sobre ciencias naturales, libros de récords mundiales, viejas enciclopedias y diccionarios. Algunas otras alojaban libros ilustrados que lucían muy desgastados para cuando los alumnos de sexto recordaban las obras de su infancia y querían volver a verlas.

El rincón de lectura estaba lleno de almohadas y lo cubría medio domo geodésico hecho de cartón. El domo había ganado el primer lugar en un concurso escolar hacía más de quince años. Cada triángulo que lo formaba estaba pintado de azul, amarillo o verde y había sido creado con el objetivo de que los niños aprendieran algo: las banderas de los países de África o los presidentes de Estados Unidos o los últimos diez ganadores de las quinientas millas de Indianápolis, y así decenas y decenas de minilecciones. Al domo le faltaba la parte superior; parecía un iglú tras una semana de mucho calor, aunque en cada clase había cierto revuelo por ver cuál grupo lo ganaba para leer.

El director no aprobaba en absoluto el estado en el cual se encontraba el salón del maestro Larson: el tiradero le daba escalofríos, pues al Dr. Barnes le gustaban las cosas impolutas y ordenadas, como su propia oficina, donde había un lugar para cada cosa y cada cosa estaba en su lugar. Ocasionalmente amenazaba al maestro Larson con obligarlo a cambiar de salón, pero en realidad no había a dónde moverlo. Además, el salón 145 estaba en la planta baja de la escuela, en una esquina. Era el más alejado de la oficina del director quien no podía soportar la idea de tener al maestro Larson más cerca de él.

A pesar de ser un salón caótico y lleno de cosas, a Cara Landry le gustaba mucho. Podía desconectarse del ruido y le gustaba que la dejaran en paz al menos durante dos horas al día. Siempre llegaba temprano a la clase y se llevaba su pupitre a un rincón cerca de los libreros. Luego colocaba detrás de su silla el gran mapa que estaba sostenido por un tripié, sacaba sus libros y cuadernos, y los colocaba sobre los libreros. Después colgaba su estuche de lápices con una tachuela en uno de los corchos que tenía a la izquierda. Era su propio espacio privado, una especie de oficina donde podía sentarse a leer, pensar y escribir.

Una tarde de viernes del mes de octubre, Cara terminó lo que había hecho en los últimos días. Sin decir una palabra, usó cuatro tachuelas para pegarlo sobre el enorme y repleto periódico mural que estaba en la parte trasera del salón del maestro Larson. Se trataba de la primera edición de *La Gaceta de Landry* en la Escuela Primaria Denton.

Después de las tiras cómicas y del crucigrama, la sección deportiva del periódico era la favorita del maestro Larson. Siempre dejaba su lectura para la última hora del día como una forma de premiarse a sí mismo.

Aquella tarde de un viernes de octubre, Larson estaba leyendo un artículo importante sobre la final de beisbol.

Intentaba concertarse en la lectura, pero no lo conseguía. Algo andaba mal: no se oía el ruido de ventanas rotas, sillas volcándose ni gritos. Y lo que era aún peor: todo estaba en perfecto silencio. Entonces levantó la mirada del periódico y vio a sus veintitrés alumnos reunidos alrededor del corcho del periódico mural. Un par de niñas reía; también se escuchaban expresiones de sorpresa y se observaban algunos codazos y susurros. Por encima de los cristales, el maestro Larson pudo enfocar aquella imagen y descubrió qué era lo que todos miraban: una gran hoja de papel con algo escrito en columnas y un gran encabezado: *La Gaceta de Landry*.

El maestro Larson sonrió.

Se trataba de una sonrisa de satisfacción: "Ahí está. ¿Lo ve?", se dijo a sí mismo como si estuviera hablando con el director, "¡Éste es mi salón abierto en todo su esplendor! No me he involucrado en absoluto y esa niña tan calladita, la que se apellida Landry, se ha dedicado a crear su propio periódico. ¡Y mire! ¡Mire eso! ¡Todos los otros niños se están involucrando!".

Larson seguía hablando consigo mismo. Ahora imaginaba que se defendía frente a todo el consejo escolar: "Adelante, usted es el director, Dr. Barnes. Puede poner cuantos memorandos quiera en mi expediente, pero aquí mismo está la prueba de que sé lo que estoy haciendo. ¡Yo soy el maestro en mi clase, no usted!".

Poco después dobló cuidadosamente el periódico y lo puso en el montón junto al escritorio. Tendría que terminar de leer el artículo sobre la Serie Mundial el lunes.

Luego estiró cuidadosamente las piernas bajo el escritorio, tensó la espalda y extendió los brazos, moviendo la cabeza de un lado al otro. Se preparaba para ponerse de pie, pues era un momento perfecto para interactuar de manera significativa con los alumnos. Además, faltaban cinco minutos para el final del día escolar y de todas formas necesitaba ponerse de pie porque esa semana le tocaba supervisar los camiones de la escuela.

Moviéndose con cuidado entre el reguero de pupitres y sillas, el maestro Larson se acercó al corcho en la pared para leer *La Gaceta de Landry*.

Asintió mientras leía el titular de la primera noticia: Niño de segundo se atraganta con gelatina dura. El maestro Larson recordaba aquello porque el incidente había requerido una llamada a los servicios de emergencia.

La columna de deportes atrajo su atención y, entrecerrando los ojos, pudo leer la descripción bien escrita de un juego de tochito durante el recreo, que terminó en pelea y en la suspensión de tres niños de sexto grado.

El maestro Larson leyó lentamente y sonreír fue la forma con la que dio su aprobación: la redacción era correcta y clara; no había errores ortográficos ni palabras superfluas. Esa chica tenía talento y, cuando estaba a punto de felicitar a... ¿Sara? No... bueno, a la chica Landry, algo llamó su atención: la nota editorial.

En la esquina inferior derecha, el maestro Larson vio su propio nombre escrito y comenzó a leer:

Un asunto de justicia

Este año no se ha enseñado nada en el salón del maestro Larson. Los alumnos han aprendido, pero hay un maestro en el salón que no enseña en absoluto.

En el volante que entregó a los padres de familia, el maestro Larson indica que en su clase "los alumnos no aprenderán por sí mismos y deberán aprehender a aprender entre ellos".

De modo que aquí lanzo una pregunta: si los alumnos aprenden solos y se enseñan entre sí, ¿por qué la escuela le paga al maestro Larson?

En los registros públicos de la biblioteca Conmemorativa Carlton se muestra que el mencionado profesor recibió 39 324 dólares el año pasado. Si ese dinero se usara para pagar a los verdaderos maestros de la clase del maestro Larson, cada alumno habría recibido 9.50 dólares diariamente durante el año escolar.

No sé qué piensen ustedes, pero recibir ese dinero sin duda me ayudaría a cambiar mi actitud ante la escuela.

Y eso es lo que se ve esta semana desde la oficina de la editora.

Cara Landry
Editora en jefe

Los niños observaban la cara del maestro Larson mientras éste leía. Poco a poco fue apretando la mandíbula más y más. La cara se le enrojeció y su pelo, rubio y corto, pareció ponérsele de punta. Por un instinto de supervivencia, los niños comenzaron a alejarse de él, abriendo el camino entre el maestro y el periódico mural.

Con un solo paso se acercó al corcho y las cuatro tachuelas salieron volando cuando arrancó la hoja de la pared.

El maestro Larson era muy alto: medía casi 1.90 metros aunque a los niños ahora les parecía del doble de estatura. Se volvió lentamente de un lado al otro y los miró a la cara. Sin levantar la voz, dijo:

—Hay ciertas cosas sobre las que es apropiado escribir en la escuela y otras de las que no —se volvió a mirar directamente a Cara—. ¡Esto es inapropiado! —gritó.

Doblando el papel por la mitad, caminó deprisa hacia su escritorio y rompió la hoja en pedazos cada vez más pequeños. Todo se detuvo. El maestro Larson miró a Cara, quien seguía de pie junto al corcho. Estaba tan pálida como colorado estaba el maestro y se mordía el labio inferior, aunque no se inmutó. Nadie se atrevía a respirar. El silencio lo rompió la chicharra de salida y, mientras el maestro Larson tiraba los pedacitos de papel al basurero, gritó:

—¡Pueden salir!

El salón se vació en un tiempo récord y Cara fue arrastrada hasta los casilleros y la zona de espera de los camiones escolares. El maestro Larson iba justo detrás de ella de camino a supervisar la salida de los autobuses. Larson caminó deprisa hasta la banqueta, todavía enojado, pero bajo control. El escándalo y la confusión del momento fueron una distracción bienvenida y, durante los siguientes diez minutos, los camiones uno, dos y tres se llenaron y se alejaron con sus ruidosos pasajeros.

La última persona en subir al autobús cuatro fue Cara Landry. Iba corriendo, arrastrando la chamarra y con la pesada mochila gris al hombro.

El maestro Larson no sonrió, aunque sí consiguió decirle:

—Adiós, Cara —ya se sabía su nombre.

Mientras la niña abordaba el autobús, el maestro se dio la vuelta y regresó a la escuela. En ese momento el camión cuatro arrancó y se fue.

El maestro Larson entró en la sala de maestros, tomó su lonchera de una repisa y salió por la puerta trasera de la escuela hacia el estacionamiento del personal. No regresó al salón 145 a recoger el termo rojo con café. No quería volver ahí hasta que fuera necesario, o sea, el lunes.

Y por suerte no regresó por el termo, porque si hubiera entrado al salón y se hubiera acercado a su escritorio, probablemente habría mirado en el interior del basurero. Y se habría dado cuenta de que cada pedazo de *La Gaceta de Landry* había desaparecido: alguien había vuelto al salón vacío para recoger todos los retazos.

En el camión de Cara había dieciséis niños de sexto grado y siete de ellos estaban en la clase del maestro Larson. Cara normalmente se sentaba sola, pero aquel día LeeAnn Ennis se acomodó en el asiento junto a ella.

Y mientras el camión se alejaba de la escuela, LeeAnn miró hacia atrás y notó cómo el maestro Larson se alejaba con paso pesado.

—¡Estaba furioso! Nunca había visto que se enojara tanto. Pero hoy estaba enojado. Muy enojado. ¡No puedo creer que hayas escrito eso, Cara! Ah, por cierto, creo que no nos hemos presentado, aunque yo estoy contigo en la clase del maestro Larson.

—Lo sé —dijo Cara—. Eres LeeAnn Ennis. Tu mejor amiga es Ellen Hatcher, te gusta Deke Deopolis, tu hermana es porrista en la prepa y tu mamá es la secretaria de la Asociación de Padres de Familia de Denton. Tu materia favorita es Matemáticas, te encantan los gatos y fuiste a la piyamada en casa de Betsy Lowenstein el fin de semana pasado.

LeeAnn se quedó con la boca abierta.

—¿Eres espía o algo así? ¿Cómo sabes todo eso?

Avergonzada, Cara sonrió, algo que LeeAnn nunca la había visto hacer.

—No soy espía. Soy periodista. La gente que se dedica al periodismo debe saber lo que ocurre a su alrededor, eso es todo. Cuando pasan cosas, cuando la gente habla, yo presto atención.

Ed Thomson y Joey DeLucca estaban en el asiento detrás de LeeAnn y Cara escuchándolo todo. Ellos también iban en la clase del maestro Larson.

Joey se acercó al respaldo del asiento y observó a Cara.

—¿Quieres decir que conoces ese tipo de cosas de todo el mundo?

—No, no de todo el mundo. Hay personas que son noticia y otras que no —Cara se sonrojó pues Joey le parecía muy guapo, aunque él no le había dirigido la palabra hasta ese día. Y si bien no supo cómo, consiguió hablar de manera natural—. No se trata de memorizar cosas ni nada, pero, si pasa algo que pueda ser noticioso, hago preguntas y presto atención para poder reportarlo. Las noticias deben ser exactas. ¿Se acuerdan del niño que se atragantó con la gelatina? Se llama Alan Cortez y está en segundo año con la maestra Atkins. La señora de la cafetería que preparó la gelatina ese día se llama Alice Rentsler. El director la obligó a escribir una carta disculpándose con los papás de Alan. También tuvo que tomar una clase especial de preparación de gelatina con el supervisor de la cocina para asegurarse de que, de ahora en adelante, la prepararía bien. Todo aquello me pareció interesante, así que investigué y conseguí todos los datos necesarios.

Ed intervino en la conversación.

—Pero ¿cómo es que sabes todo sobre LeeAnn? ¿Eso qué? ¿A poco ella es noticia? —LeeAnn entrecerró los ojos mirando a Ed e hizo como que le iba a pegar con la mochila.

Cara sonrió y dijo:

—No, son sólo cosas de las que me he dado cuenta o que he oído por ahí. LeeAnn tiene el cuaderno y el casillero tapizados con calcomanías de gatitos; el nombre de su mamá está en la circular de la Asociación de Padres de Familia que llegó por correo a mi casa en el verano; a veces, la hermana de LeeAnn la lleva a la escuela con el uniforme de porrista y todos saben que a LeeAnn le gusta Deke.

Ed estaba muy impresionado.

—Está bien, está bien, todo eso tiene sentido. Pero, dime, ¿por qué escribiste eso sobre el maestro Larson? ¿Estás enojada con él o algo así?

Cara no contestó de inmediato.

—No. No estoy enojada con él —respondió pensativa—. Es sólo que no me parece correcto que no nos enseñe nada —Cara permaneció en silencio un momento mientras diez niños se empujaban entre sí para bajar del camión pues la siguiente parada era la suya.

Cuando el autobús avanzó, Cara susurró:

—¿Pueden guardar un secreto? —Joey, LeeAnn y Ed asintieron—. ¿Lo prometen? —los tres niños asintieron de nuevo y se acercaron a Cara, quien, mirando a cada uno, les preguntó—: ¿Alguna vez se han asomado a las vitrinas que están en el corredor de la dirección?

—¿Te refieres a las que tienen los trofeos deportivos? —preguntó Joey—. Yo los he visto.

—Tienes razón, casi todos son trofeos deportivos —dijo Cara—, pero también hay otras cosas: trofeos al escritor del mes, premios de matemáticas y todo tipo de cosas. También hay una placa para el Maestro del Año.

—Ah, sí —dijo LeeAnn—. Yo sí la he visto. La maestra Palmer, que me tocó en tercero, fue la ganadora el año pasado.

Cara negó con la cabeza.

—No, ésa es la placa nueva. Estoy hablando de la vieja, una que está en un rincón de la vitrina. Los maestros y la Asociación de Padres de Familia gordito del vientre ni las venas moradas de las piernas. Traía el pelo enredado después de nadar y sin maquillaje alguno se veía cansada, acabada. Tenía dos hijos, un niño y una niña, y les gritaba mientras se revolcaban en la arena ensuciando las toallas de playa. Su marido estaba acostado de espaldas, tomando el sol. Era un hombre robusto con mucho pelo en la barriga, y no se trataba de una barriga pequeña. Mientras Karl los observaba, el marido de la maestra Spellman levantó la cabeza de la arena, se volvió a ver a su esposa y, señalando la hielera, dijo:

—Oye, Mabel, pásame otra cerveza fría, ¿sí?

Karl se quedó pasmado y luego se fue dando tumbos hasta el lugar en que su familia llevaba a cabo su propio pícnic en la playa. Aquel tipo enorme y peludo había mirado a la maestra Spellman diciendo: "Oye, Mabel". En ese momento, Karl se dio cuenta de que la maestra Spellman que él conocía era en gran medida sólo un personaje de ficción creado en parte por él y en parte por la propia maestra Spellman. Los alumnos y... Mabel habían creado juntos a la maestra Spellman para llevar a cabo sus funciones, las funciones de una escuela.

Sentado, bebiendo sidra, Karl Larson pensó en el maestro Larson que conocían Cara Landry y el resto de sus compañeros. No tenían idea de quién era Karl Larson. No sabían que él había sido la primera persona de su familia en ir a la universidad. No sabían nada de los sacrificios que sus papás habían hecho para que él pudiera estudiar y lo orgulloso que se había sentido al obtener su primer empleo como maestro en Carlton hacía más de diecinueve años.

Probablemente no sabían que su esposa también era maestra de segundo de secundaria en una escuela del sur de Chicago. Los niños no tenían idea de que Larson odiaba ver que el trabajo de su esposa era más difícil cada día: Barbara Larson se preocupaba día y noche por marcar una verdadera diferencia en la vida de aquellos niños a los que quería tanto. Su escuela era un lugar muy duro, pero ahora había detectores de metal en las puertas y un guardia armado que acompañaba a los maestros a un estacionamiento enrejado al final del día de clases.

Los niños no sabían que él y su esposa tenían dos hijas, una en segundo y otra en el último año de la Universidad de Illinois. A las dos chicas les gustaba su escuela, eran buenas estudiantes y les iba bien. Pero a las dos las habían aceptado en universidades de alto nivel en Connecticut, Ohio y California, y ambas había elegido asistir a una universidad estatal porque ésa era la escuela que podían pagar sus papás. Karl Larson no se lo perdonaba.

¿Cómo podían unos niños de sexto entender lo difícil que había sido para él y para su mujer encargarse de los papás ancianos de ambos durante los últimos ocho años? Los niños no lo sabían; no tenían forma de saberlo. Así es que ahí estaba aquel viernes por la tarde: a solas, sentado en medio de una casa oscura, esperando a que su esposa llegara tras batallar con los embotellamientos de la hora pico. Luego de quince minutos pensando, hizo acopio de energía y se levantó para ir a la cocina y preparar la cena.

Más tarde, después de cenar, el maestro Larson le contó a su esposa sobre el editorial del periódico. La verdad era que esperaba más comprensión, pero debió haber sabido que no la recibiría. Su esposa era muy sincera. Era una de las cosas que más le gustaban de ella. Barbara Larson se estiró por encima de la mesa de la cocina y le apretó un brazo diciendo:

—Me parece que esa niña tan sólo busca un maestro, Karl. Eso es todo. Nada más está buscando a alguien que le enseñe.

El maestro Larson intentó recordar cuándo había dejado de ser un buen maestro. Sin embargo, no había un momento en particular que le viniera a la mente. Los maestros no se desgastan de un día para otro. Eso ocurre poco a poco, como el cansancio que siente una persona cuando va caminando cuesta arriba. Primero comienza a sentirse cansada y luego afloja el paso. Después siente que debe detenerse y se pone a descansar. Así se sentía Karl Larson: cansado y deprimido. Había mañanas en las que apenas podía salir de la cama y ahora... ese editorial. No le parecía justo ser juzgado de esa forma, pero ¿a quién más podía culpar más que a sí mismo? ¿Cómo podían saber los niños algo sobre su vida? ¿Acaso lo que le ocurría a él fuera de la escuela debía importarles? ¿Debió haberle importado al joven Karl Larson que la maestra Spellman fuera también una mujer llamada Mabel que tenía un marido barrigón y peludo al que le gustaba beber cerveza? No. En la escuela Mabel era la maestra Spellman y era una muy buena maestra.

Karl Larson lo veía con claridad. El único motivo por el cual él y aquellos niños estaban juntos era por el tema escolar. Los niños no necesitaban conocer la historia de vida de Karl Larson. Necesitaban al maestro Larson; a su maestro.

Durante el fin de semana fue encarando los hechos: *La Gaceta de Landry* decía la verdad. El maestro Larson era culpable de todos los cargos y Karl sabía que debía hacer algo al respecto.

El viernes por la tarde, cuando Cara terminó de pegar los pedacitos de papel, dejó la primera edición de *La Gaceta de Landry* sobre la mesa de la cocina y se fue a su habitación. Quería encontrar los periódicos que había elaborado durante quinto año. Cuando regresó a la cocina con los papeles que había estado buscando, vio que su mamá estaba de pie frente a la mesa leyendo la editorial sobre el maestro Larson. Cuando levantó la mirada, le dijo:

—Déjame adivinar: el maestro la rompió después de leerla, ¿verdad?

Cara asintió.

—Cara, cariño, ahora sí que la hiciste buena —su mamá observó la hoja hecha con retazos de papel y dejó escapar un largo suspiro—. Bueno, al menos es la única copia y el maestro Larson no la llevó corriendo a la oficina del director, como habrían hecho otros.

La señora Landry se dejó caer sobre una de las sillas junto a la mesa y miró a su hija:

—Dime, Cara, ¿estás enojada conmigo? ¿Por eso haces estas cosas? Porque si lo que intentas es lastimarme, debo decirte que está funcionando. Está funcionando de maravilla.

Los ojos de su mamá se llenaron de lágrimas y Cara la miró sin pestañear.

—No, mamá, no intento lastimarte. Y no te pongas triste; es sólo un periódico. Son sólo hechos.

—¿Hechos? Mira nada más esto, jovencita —su mamá golpeaba con una uña roja el editorial—. Éstos no son sólo hechos. Se te soltó la lengua contra este hombre y dijiste cosas hirientes en el texto.

Cara hizo un gesto de dolor, pero de inmediato saltó para defenderse.

—Es una nota editorial, mamá, y está permitido expresar opiniones. Todas las opiniones que hay ahí están basadas en hechos. No inventé nada. Tú eres la que me enseñó a siempre decir la verdad, ¿lo recuerdas? Bien, pues sólo estoy diciendo la verdad.

La señora Landry quedó indefensa y lo sabía. Hacía años que no podía ganarle una discusión a Cara y ésa no sería la excepción. Pero admitir que su hija sólo decía la verdad no hacía que las cosas fueran más fáciles. Las clases habían comenzado hacía paralizó y la lengua se le pegó al paladar. Se escondió entre los casilleros y se alejó lentamente, asegurándose de que las suelas de goma de sus zapatos no rechinaran. Metió la carta en el bolsillo de su falda y salió corriendo hacia el patio por la puerta más cercana.

Todo el día había estado cabizbaja, asegurándose en todo momento de no estar en el mismo lugar que el maestro Larson. LeeAnn, Betsy Lowenstein y otras tres niñas se sentaron con ella a la hora del almuerzo y Cara no dijo ni tres palabras de lo enojada que se sentía con ella misma. Estaba sentada como una tonta, mordiéndose el labio inferior, asintiendo y sonriendo de vez en cuando, mientras LeeAnn hablaba sin parar sobre lo enojado que había estado el maestro Larson el viernes.

Pero en diez minutos más no habría escapatoria. A menos que... No. Si iba a la enfermería, llamarían a su mamá a la oficina y eso no funcionaría. Si no iba a clase, el maestro Larson sabría que era una cobarde, y Joey DeLucca y LeeAnn Ennis lo sabrían también: "Lo peor de todo es que yo sabré que soy la cobarde más grande, débil y patética que haya existido jamás", pensaba Cara.

Cuando sonó la chicharra avisando el fin del recreo, Cara Landry, la cobarde secreta que sudaba frío, se puso una máscara de valentía y caminó como robot por el pasillo hasta el salón 145.

Cuando sonó la chicharra, había alguien más que sudaba frío. El hombre alto con el saco arrugado estaba encorvado sobre la silla, sosteniendo un periódico más arriba que de costumbre. Leía los promedios de bateo en la sección de deportes, pero no veía nada más que la imagen de la niña con la falda de cuadros cafés, aterrada y mordiéndose el labio inferior. Era la misma imagen que había visto a lo largo del fin de semana. Y ahora esa niña entraría al salón de nuevo, el mismo salón en que se suponía que él debía actuar como profesor. El maestro Larson estiró el brazo para tomar el termo por décima vez en el día, y por décima vez recordó que no tenía en su interior nada más que el café del viernes pasado, tan frío como las palmas de sus manos y tan amargo como el retortijón que sentía en el estómago.

Los niños entraron y de inmediato acomodaron los desordenados pupitres en filas. De cierta manera, los salones parecen más seguros cuando los pupitres se ordenan en filas. Todos se sentaron. Nadie estaba echando relajo ni hablando en voz alta, como habían hecho al principio de la clase del viernes. Era el mismo maestro leyendo el periódico, los mismos niños, el mismo salón, pero todo era distinto y todos lo sabían, aunque nadie lo sabía mejor que Cara Landry.

Ella se sentó tan cerca de la puerta como pudo, en la parte trasera del salón. No estaba pensando en eso; sin embargo, en algún rincón de su mente quería estar lista para salir huyendo. Miraba fijamente

mente se le puso en blanco por un instante. Después sonrió y dijo:

—Adelante, aquí estoy.

Joey sonrió y apoyó un hombro contra la pared.

—¿Qué opinas? —preguntó en voz baja—. ¿Qué onda con Larson? ¿Está loco o qué será? Yo pensé que seguiría enojado.

—Yo también —asintió Cara—. Pero no. Es raro, porque ahora sabe lo que pensamos de él como maestro. Creo que está tratando de decidir qué hacer a continuación. ¿Y te diste cuenta de que nos encargó un trabajo? ¡Un trabajo de verdad!

Joey puso los ojos en blanco y arrugó la nariz.

—Sí, me di cuenta. Todos nos dimos cuenta. Muchas gracias, señorita periodista —con una sonrisa traviesa, Joey agregó—: Además, el maestro Larson no dijo ni pío sobre *La Gaceta de Landry,* como "No se te ocurra volver a escribir nada acerca de mí" u "Olvídate de hacer un periódico escolar en la vida". ¿Lo vas a hacer?

Cara miró a Joey como si estuviera loco.

—¿Hacer otro? ¿Te pasó por la cabeza que no lo haría? ¡Por supuesto que voy a hacer otra edición!

Joey se separó de la pared y levantó las manos como si Cara fuera a intentar ahorcarlo.

—Oye, oye... sólo estaba preguntado. Supuse que lo harías. Todos la estarán esperando, y no me refiero solamente a los niños del salón. ¿Ubicas a Ted

Barret del equipo rojo? Bueno, pues le conté lo que pasó el viernes y me pidió que le avisara cuando saliera el siguiente periódico.

Cara se sintió halagada, aunque la sonrisa se le convirtió en un gesto de preocupación.

—Pero yo sólo hago una copia del periódico —dijo—. Y la voy a poner aquí en la pared y nosotros somos el equipo azul. ¿Cómo la verá Ted?

—Boba —dijo Joey—. ¿Nunca has oído hablar de una cosa llamada computadora? —preguntó, señalando dos computadoras al otro lado del salón. Ellen Rogers estaba usando la enciclopedia instalada en una de ellas y David Fox ocupaba la otra, con unos audífonos en las orejas jugando algo sobre geografía—. Si haces el periódico en una computadora, puedes imprimir tantas copias como quieras. Así de simple.

—Yo... Yo no sé usar bien la computadora —tartamudeó Cara, sonrojándose—. Al menos no como para hacer algo así. En casa no tenemos computadora y en mi escuela anterior sólo había un par y no me dejaban usarlas. La verdad es que creo que yo tenía... mala reputación.

—¿Mala reputación? ¿Tú? A ver, déjame adivinar —sonrió Joey—. ¿Podría tener algo que ver con hacer periódicos? Fuera de broma —agregó más serio—, las computadoras no son complicadas. Lo platiqué con Ed y queremos estar en tu equipo. Ya

Mientras Ed y Joey entregaban las hojas, Cara tomó una de las cinco o seis copias que había guardado para ella y se acercó al escritorio del maestro Larson. El maestro vio a Cara con el rabillo del ojo, pero siguió leyendo la sección deportiva del periódico hasta que la niña habló.

—¿Maestro Larson?

—¿Sí? Ah, hola, Cara. ¿En qué puedo ayudarte?

Cara estaba nerviosa. Tomó una copia de *La Gaceta de Landry* y la sostuvo entre las manos, colocadas tras la espalda, e intentando sonreír dijo:

—¿Se acuerda del proyecto para el cual Joey y yo necesitábamos ir a la biblioteca? Bueno, pues ya lo terminamos y se lo quería mostrar... Tenga —y Cara le entregó el periódico.

El maestro Larson se estiró sobre el escritorio para tomar la copia, actuando con sorpresa.

—¿Proyecto? Ah, sí... El proyecto en la biblioteca —miró el periódico rápidamente y luego observó a Cara—. Sí, lo recuerdo. Les pregunté si sería un buen proyecto... ¿Qué opinas? ¿Están contentos con el resultado?

Cara tragó saliva y asintió.

—Ajá. Tuvimos que trabajar muy rápido y no tiene mucho contenido, pero nos gusta cómo quedó y... Queríamos que usted tuviera una copia.

—Bueno, pues gracias, Cara —dijo el maestro Larson en tono vacilante—. Disfrutaré la lectura.

Y ocurrió que la segunda edición llegó a la oficina porque la secretaria del director, la señora Cormier, la encontró tirada en el pasillo y le pareció que su jefe disfrutaría leyendo el artículo acerca de los mejores maestros.

El Dr. Barnes se sentó ante su escritorio y leyó cada palabra del periódico, asintiendo y sonriendo de vez en cuando. Aquello era bueno y divertido, muy bien escrito y una excelente oportunidad de aprendizaje. La nota sobre los platillos de la cafetería que menos gustaban estaba bien hecha y la de los maestros favoritos no lanzaba ningún golpe bajo. No había lenguaje impropio. No se criticaba a la escuela ni la administración ni las políticas escolares. No había nada ni remotamente controversial en la segunda edición de *La Gaceta de Landry*.

Pero cuando el Dr. Barnes leyó la editorial, sus ojos se entrecerraron y el latido de su corazón se aceleró. Se le formó un gesto de disgusto en la ancha y carnuda cara, y sus narinas se abrieron y temblaron. Tomó una pluma roja, le quitó la tapa, comenzó a leer de nuevo y repasó el periódico en busca de algún problema. Una vez que hubo terminado, no había marcado más que una sola cosa en toda la página: estaba en la nota editorial. Había dibujado un círculo rojo alrededor de un nombre, el del maestro Larson.

El Dr. Barnes tenía severas opiniones sobre el maestro Larson. Había sido director de la Escuela Primaria Denton por siete años y el maestro Larson era un problema constante.

El Dr. Barnes no odiaba al maestro Larson. Decir eso sería un exceso emocional. "Esto no tiene nada que ver con emociones", se dijo. Era un asunto de profesionalismo. El Dr. Barnes no aprobaba las acciones del maestro Larson porque éste no actuaba de forma profesional. Para el Dr. Barnes, la educación era un asunto serio y el maestro Larson se tomaba las responsabilidades educativas muy a la ligera.

El Dr. Barnes abrió un cajón del escritorio y sacó la llave del archivero en el que guardaba los expedientes de los maestros de la Escuela Primaria Denton. Girando sobre su silla, lo abrió. No le costó trabajo encontrar el expediente del maestro Larson. Era tres veces más abultado que cualquier otro en el cajón.

Cada año, el Dr. Barnes recibía cartas de papás preocupados sobre el maestro Larson, quienes preguntaban si era normal que no hubiera tarea de la clase de Ciencias Sociales, Lectura y Español. ¡Nada de tarea en todo el año! Éstos escribían para pedir el cambio de sus hijos al equipo rojo y el objetivo era siempre el mismo: salir de la clase del maestro Larson.

Al término de cada ciclo escolar, todos los maestros tenían una reunión con el director. Esto era conocido como evaluación de desempeño. El Dr. Barnes hojeó los formatos de evaluación del maestro Larson: uno por cada año de su administración. Mal. Mal. Inaceptable. Mal. Inaceptable. Inaceptable y, por último... Inaceptable. Al final de cada formato había espacio para aclaraciones de los maestros. A lo largo de los últimos siete años, los comentarios del maestro Larson eran casi los mismos. Concentrándose en el formato de evaluación del año anterior, el Dr. Barnes apretó los dientes y leyó lo escrito por Larson:

Claramente, Phil y yo tenemos filosofías educativas muy distintas. Tristemente reconozco que él objeta algunos de mis métodos y mis prácticas.

Atentamente,

Karl A. Larson
Maestro

Muchos padres de familia consideraban que el maestro Larson no debía enseñar más. Varios miembros del consejo escolar creían que Larson debía ser despedido y otros tantos pensaban que una opción sería que aceptara una jubilación anticipada.

Pero como bien lo saben todos los directores de escuelas y los miembros de los consejos escolares, deshacerse de un maestro no es cosa fácil. Debe haber algo grave, serio y probable, algo que viole las políticas de la escuela o la ley.

El Dr. Barnes cerró el grueso expediente de Larson y lo guardó en el fondo del cajón, cerró el archivero con llave y luego la dejó caer en el lugar de siempre.

Colocó *La Gaceta de Landry* en el centro del escritorio. Entrecruzó las manos detrás de la cabeza y se reclinó hacia atrás en la silla. Sonrió. Tenía un buen presentimiento relacionado con este periódico. La situación ofrecía algunas posibilidades. Esto bien podría ser lo que muchas personas habían estado esperando.

Incorporándose de pronto, el Dr. Barnes alcanzó el teléfono. Marcó la extensión de la señora Cormier. Podía oírla guardando sus cosas afuera de la oficina, lista para marcharse. Podría haberla llamado desde su silla, pero le gustaba marcar el teléfono. Le parecía más oficial.

El teléfono de la señora Cormier sonó una, dos, tres, cuatro veces.

—¿Sí, Dr. Barnes? —contestó finalmente con cierto tono de disgusto.

Eran las cuatro quince de la tarde del viernes y no estaba de humor para jugar a la secretaria. De pie frente a su escritorio, con el abrigo y el sombrero puestos, la señora Cormier alcanzaba a ver al Dr. Barnes sentado en su oficina, a menos de cinco metros de distancia, golpeteando los dedos sobre el escritorio. De verdad, ¿cuán difícil era darse la vuelta, sonreír y hablar?

—Ah, sí, señora Cormier. Este... Por favor, deje un recado en el buzón del maestro Larson de mi parte. Quiero verlo el lunes al terminar las clases. Inmediatamente después de clases. Es un asunto de cierta importancia.

La señora Cormier colgó el teléfono y dijo desde su escritorio:

—El lunes es el Día de la Raza, Dr. Barnes. Pero le dejaré una nota avisándole que lo quiere ver el martes. Y ya me voy. Que tenga buen fin de semana.

La señora Cormier escribió una nota apresurada en el papel membretado del Dr. Barnes, la metió en el buzón del maestro Larson y treinta segundos más tarde ya estaba cruzando la puerta.

El martes por la tarde, el maestro Larson silenció a toda la clase. Escribió tres palabras en el pizarrón, de izquierda a derecha: "Positivo, Neutral, Negativo".

—El autor de una nota editorial tiene muy poco espacio para escribir, de modo que cada palabra debe ser bien elegida para tener el máximo impacto —dijo el maestro Larson; golpeando cada palabra con el gis, las fue leyendo y continuó—: Las palabas que selecciona un escritor pueden ser positivas, negativas o neutrales. ¿El autor está elogiando algo? Eso es positivo. ¿Critica y destroza algo? Eso es negativo. Y si el autor sólo está explorando, buscando alrededor de un tema, se encuentra dando un tratamiento neutral a su texto.

Cara levantó la mano y el maestro Larson dijo:

—¿Tienes una pregunta, Cara?

—Pero si el autor adopta una postura negativa ante algo como la guerra o la drogas, ¿no podría considerarse algo positivo?

—Sí y no —respondió el maestro Larson—. Sí, el efecto puede ser positivo, pero el tratamiento, las palabras y las imágenes que comunican serían negativos. Bien, ahora todos revisen las notas editoriales que recortaron el otro día. Vamos a hacer una lista en el pizarrón para clasificarlas en positivo, neutral y negativo.

Durante diez minutos, los niños lanzaron palabras y frases al maestro Larson y él las iba escribiendo tan rápido como podía en el pizarrón.

La columna de negativo fue la que más pronto se llenó con palabras como estúpido, vergonzoso, tonto, risible, desperdicio, indignación, idiota, escandaloso, mal informado, a medias, pusilánime. Las palabras y frases positivas incluían: generosamente, espíritu público, sabio, benéfico, encomiable, bien investigado, útil, honorable y bueno. Las palabras o frases neutrales eran más difíciles de encontrar. De hecho, los chicos sólo encontraron cinco: aparentemente, claramente, no es seguro, comprensiblemente, supuestamente.

Después, el maestro Larson encabezó una acalorada discusión que más bien parecía un concurso de gritos, acerca de qué tipo de tratamiento editorial era el mejor. Al final todos estuvieron de acuerdo en que había momentos apropiados para cada uno de los tres.

Larson tomó una hoja de su escritorio y la pegó en el pizarrón. La clase guardó silencio. Se trataba de un ejemplar de *La Gaceta de Landry*.

—Sé que ya todos han visto la nueva y mejorada edición de *La Gaceta de Landry* —dijo—. Y sé, por el estado en que se encuentra el salón y por la menor cantidad de periódicos junto a mi escritorio, que han estado revisando también algunos otros, —el maestro Larson sonrió—. Denme su opinión: ¿en qué se parece *La Gaceta de Landry* a otros periódicos y en qué se diferencia?

Nadie dijo nada.

—Vamos, no estamos siendo negativos, sino neutrales. De hecho, tenemos muchos motivos para ser positivos —agregó señalando el periódico—. Todo esto es un gran cambio en tan sólo una semana. No estoy pidiendo comentarios sobre el periódico; sólo quiero que me digan en qué es similar a los otros que han estado leyendo y en qué es distinto.

El maestro Larson hizo una pausa:

—¿A quién se le ocurre algo? ¿Ed? Tú debes tener algo que decir. Dime una diferencia.

Ed tragó saliva. Miró a Cara y a Joey antes de hablar y dijo:

—¿El tamaño? Nuestro periódico... quiero decir, *La Gaceta de Landry* no tiene tanto texto.

—¡El tamaño! Excelente, Ed. En el tamaño —el maestro Larson anotó la palabra en el pizarrón—. Bien. Alguien más —dijo el maestro Larson—. Otra diferencia. ¿LeeAnn?

LeeAnn estaba lista.

—Los otros periódicos tienen cientos de reporteros e impresores y esas cosas —dijo de pronto—, y este periódico sólo tiene unos cuantos.

Eso abrió la discusión de par en par. En sólo unos minutos, completaron una lista de diferencias; cosas como anuncios, precio de compra, imágenes a color, caricaturas, columnas de chismes, de consejos, noticias internacionales. Luego vino la lista de similitudes, que abarcaba todos los conceptos básicos:

La Gaceta de Landry tenía noticias locales, reporteros, escritores, imágenes en blanco y negro y una sección editorial. Tenía lectores y era interesante como los otros periódicos.

Tras revisar ambas listas, Sharon levantó la mano y el maestro Larson asintió al tiempo que decía:

—¿Sí, Sharon?

—Bueno, pero ¿por qué no podría *La Gaceta de Landry* tener todas esas otras cosas, como columnas y caricaturas y todo eso?

—Es una buena pregunta —reconoció el maestro Larson—. Pero yo no puedo responderla. Todos ustedes dejaron escapar otra similitud entre *La Gaceta de Landry* y los otros periódicos. *La Gaceta de Landry* tiene una editora en jefe, y si tienen dudas sobre cambios posibles, necesitan consultarlas con ella.

Todas las miradas se posaron sobre Cara. Estaba sentada sobre un pupitre, con un pie en el asiento y la otra pierna cruzada y la barbilla afilada apoyada en el puño y el codo sobre la rodilla. Se parecía a la famosa estatua *El pensador,* pero más delgada, con una falda a cuadros cafés que le cubría las rodillas huesudas y colita de caballo.

Sintió cómo se le enrojecían las mejillas. El maestro Larson le estaba pidiendo a ella, Cara Landry, editora en jefe, que tomara una decisión. Lo primero que le pasó por la mente fue lo divertido que sería contarle todo eso a su mamá a la hora de la cena.

Muchas cosas le habían ocurrido a Cara en los últimos diez días. Hacía menos de dos semanas, Cara Landry era una chica invisible. Ahora todos los niños y maestros de la escuela la reconocían de vista y de nombre. *La Gaceta de Landry* era algo que Cara elaboraba por sí misma, algo con una sola voz y una sola versión; una extensión de su forma de pensar y de sus manos.

Para hacer el periódico que el maestro Larson pegó en el pizarrón, Cara necesitó de las manos, ojos y oídos de otros. Había hecho nuevos amigos y todos habían trabajado y reído juntos; discutían, pensaban y volvían a reír. Se había dado cuenta de lo bien que se sentían todos haciendo el periódico juntos.

y el portafolios en el suelo junto a la silla, se sentó y cruzó las largas piernas. Era una silla incómoda. El maestro Larson se preguntó cuántas otras personas incómodas se habían sentado de ese lado del escritorio del director Barnes sobre el cual había un prisma de madera grabada en el que se leía: PHILIP K. BARNES, LIC., MAESTRO, DOCTOR.

En los paneles de la pared detrás de la silla había diplomas y certificados enmarcados que competían por un lugar con las fotografías del Dr. Barnes saludando de mano a personas importantes, algunas de las cuales Larson reconoció. Cada fotografía destilaba ambición.

El Dr. Barnes desdobló su copia de *La Gaceta de Landry* y la deslizó sobre el escritorio frente al maestro Larson, quien vio su nombre dentro de un círculo de tinta roja. El director dijo:

—Dígame, maestro Larson, ¿cuál es exactamente su participación en este periódico?

El maestro Larson se puso los lentes, miró el periódico y luego al Dr. Barnes.

—Estoy abordando el tema del periodismo —respondió—. Algunos chicos de la clase iniciaron un periódico como proyecto. Escriben bien, ¿no te parece?

—Sí —respondió el Dr. Barnes—. Escriben bien. Ése no es el problema.

—¿Problema? —preguntó el maestro Larson—. No sabía que hubiera un problema. ¿A qué problema te refieres, Phil?

El Dr. Barnes se reclinó en la silla y comenzó a girar de un lado al otro con los ojos fijos en la cara del maestro Larson.

—¿Conoce usted la decisión de la Suprema Corte conocida como el caso Hazelwood?

—¿Hazelwood? —preguntó a su vez el maestro Larson—. Por supuesto. En 1988, la Suprema Corte de Estados Unidos dictaminó que los directores de escuelas tienen el derecho legal a decidir qué se publica y qué no en los periódicos escolares. No se tratró de una decisión unánime, pero cinco jueces estuvieron de acuerdo con que los directores tienen esa autoridad. Algunos consideran que tal decisión es una violación al derecho constitucional a la libertad de expresión. Otros consideran que si la escuela es la que publica, debe tener también el poder de decir la última palabra sobre lo que se publica, como lo haría el dueño de cualquier periódico.

El Dr. Barnes estaba impresionado. Había subestimado lo leído y bien informado que se encontraba el maestro Larson. Asintiendo, dijo:

—Veo que conoce bien el caso. Y dígame, maestro Larson, ¿está usted de acuerdo con la decisión de la corte?

El maestro Larson sonrió y dijo:

—Eso es como preguntarme si estoy de acuerdo con la ley de gravitación. Es la ley, esté yo de acuerdo o no.

El Dr. Barnes dejó escapar una risita.

—Cierto, muy cierto. La ley es la ley, y dado que es así, asumo que no le importará que revise cada futura edición de este periódico antes de su distribución, ¿correcto?

El maestro Larson sostuvo la sonrisa, pero su voz no sonreía:

—Si se tratara de un periódico escolar, no me importaría en absoluto. Pero, verás, Phil, no es así. *La Gaceta de Landry* es un periódico de la clase. Lo hacen los alumnos del salón 145 y confío en su capacidad para decidir qué es lo que aparece en él.

Moviéndose hacia el frente hasta que su barriga estuvo apoyada en el escritorio, el Dr. Barnes señaló el periódico.

—Si esto es un periódico de la clase, todas las copias deberían haber quedado entre los alumnos de su salón, maestro Larson. La señora Cormier encontró esta copia en el suelo cerca del corredor de los salones de tercero.

—Eso es lo raro de los periódicos —dijo el maestro Larson—. Mi esposa y yo una vez fuimos un fin de semana a Nueva York, tras volver a Chicago, el domingo, fuimos al estacionamiento, condujimos hasta nuestra casa, entramos y me senté a descansar un poco. ¿Y sabe qué? Me encontré un papel: un anuncio de un restaurante en Nueva York pegado a la suela de mi zapato. El papel viaja.

El Dr. Barnes no encontró graciosa la anécdota del maestro Larson. Con el ceño fruncido, le dio una palmada al papel sobre el escritorio.

—¿Sabe usted cuántas copias del periódico se imprimieron?

El maestro Larson negó con la cabeza.

—La verdad es que no sé cuántas copias hicieron los chicos. Esa decisión se las dejé a ellos. Están orgullosos de su trabajo y tienen razón. Estoy seguro de que han compartido algunas copias con sus amigos e incluso quizá las han llevado a casa para mostrárselas a sus papás.

—Setenta y cinco copias —dijo el Dr. Barnes—. Según la señora Steinert, sus alumnos hicieron setenta y cinco copias de este periódico. Usted tiene veintitrés alumnos en la clase de la tarde, así que, a menos que quiera usted afirmar que cada alumno se quedó con tres o más copias, éste es un periódico escolar. El periódico se produce aquí, en mi escuela, con las computadoras de la escuela, el papel de la escuela, las impresoras de la escuela y la electricidad de la escuela, en horarios escolares.

El maestro Larson guardó silencio un momento. Resistió el impulso de echarse a gritar. No estaba buscando una pelea con Philip Barnes: nunca lo había hecho. De muchas formas, admiraba al director. El Dr. Barnes cuidaba lo que consideraba el interés superior de los niños. Intentaba que todos estuvieran contentos y trabajaran en equipo: los maestros, los padres de familia, el consejo escolar y el superintendente de educación, algo que no siempre era fácil. El Dr. Barnes era un buen director, un buen administrador. Pero el Dr. Barnes no era un buen maestro. Y el maestro Larson estaba seguro de que si Barnes se involucraba en *La Gaceta de Landry*, se perdería algo importante.

Larson se puso de pie, carraspeando.

—Bueno, pues esto ya ha ocurrido antes, ¿no es cierto, Dr. Barnes? No es más que otro tema educativo en el que usted y yo no estamos de acuerdo. Yo opino que *La Gaceta de Landry* es un proyecto de la clase. El papel, las impresoras, las computadoras, la electricidad y el tiempo se están utilizando como parte normal de mi trabajo como maestro en esta escuela, como cualquier otro maestro y cualquier otro grupo de alumnos haciendo cualquier otro proyecto.

El Dr. Barnes también se puso de pie y, golpeando la hoja de papel con el dedo índice, preguntó:

—Entonces, ¿asume usted toda responsabilidad por este periódico y lo que en él se publique?

—Sin duda —le respondió el maestro Larson—. Absolutamente.

—Pues muy bien — dijo el Dr. Barnes con sutileza—. Supongo que nuestra junta terminó.

El maestro Larson se agachó para recoger el portafolios y el termo rojo y, al hacerlo, el Dr. Barnes salió de atrás de su escritorio y abrió la puerta hacia el corredor. El maestro Larson salió y Barnes dijo:

—Maestro Larson, por favor, asegúrese de que se me entregue una copia de cada edición que se publique de este periódico. Me gustaría estar informado sobre los avances del... proyecto de su clase.

—La siguiente edición saldrá el viernes —dijo el maestro Larson—. Le haremos llegar una copia. Buenas tardes, Phil.

Al cerrar la puerta, el Dr. Barnes fue a abrir la otra puerta que daba a la oficina principal.

—Señora Cormier, necesito dictarle una carta.

La secretaria miró el reloj de pared. Eran las tres y cuarenta y cinco.

—Voy para allá, Dr. Barnes.

Tomó su bloc de notas y un bolígrafo, entró a la oficina y se sentó en la misma silla que Larson.

El Dr. Barnes caminaba lentamente de un lado al otro a espaldas de la señora Cormier.

—Éste es un memorándum para el expediente del maestro Karl Larson. Acabo de terminar una reunión de trabajo con él. Hablamos del periódico que están haciendo los alumnos de su clase vespertina. Todo indica que es un periódico escolar y le he pedido al maestro Larson que me entregue una copia antes de la publicación para poder eliminar cualquier información objetable previo a su distribución. El maestro Larson ha insistido en que se trata del periódico de la clase y se ha hecho responsable del contenido de cada edición. Hemos acordado que me entregará una copia de cada edición publicada por él y sus alumnos.

Acercándose a leer por encima del hombro de la señora Cormier, preguntó:

—¿Lo anotó todo? —la señora Cormier asintió—. Bien. Me gustaría firmar tres copias para mañana. Gracias, señora Cormier.

Cuando la señora salió de su oficina, el Dr. Barnes volvió a sentarse y a girar lentamente sobre la silla.

Su reunión con el maestro Larson no había salido justamente como la había planeado. Sin embargo, estaba contento con los resultados, muy contento.

El maestro Larson había aceptado toda la responsabilidad del periódico y su contenido.

Entre más lo pensaba, más contento se ponía el Dr. Barnes. Lo único que había que hacer era esperar. Un solo error haría caer al maestro Larson directamente al caldero con aceite hirviendo.

Cuando los alumnos de la clase vespertina entraron corriendo al salón 145 el miércoles, éstos se sorprendieron al descubrir una televisión y una videocasetera en un carrito situado junto al escritorio del maestro Larson quien nunca antes les había pasado ningún video.

Una vez que todos hubieron guardado silencio, el maestro Larson dijo:

—Sé que todos quieren ponerse a trabajar en el periódico, pero antes quiero que vean algo que grabé anoche de la televisión.

Oprimió el botón de reproducción y apareció el conductor de un programa de comedia haciendo una broma sobre el presidente y el vicepresidente quienes se habían dicho mentiras mutuamente. El público en el estudio reía y aplaudía.

El maestro Larson apagó la televisión y movió el carrito a un lado. Bajó un mapamundi enrollable sobre el pizarrón y fue tocando diferentes países con la punta de un plumón mientras hablaba.

—Si ese comediante viviera en este país o en éste o en éste, y si hubiera hecho ese chiste sobre el presidente ayer por la noche, tal vez hoy estaría en la cárcel —haciendo una pausa muy dramática, movió la punta del plumón a otro país—. Y si ese comediante viviera en éste país y hubiera hecho ese chiste anoche, quizá hoy estaría muerto.

Tras mover el plumón hacia Estados Unidos, el maestro Larson dijo:

—Pero ese comediante vive en este país y hoy no está en la cárcel ni muerto. Seguro bebe agua mineral en algún lugar pensando en qué más puede decir para hacer reír a su público hoy por la noche.

El maestro Larson volvió a enrollar el mapa y caminó hacia un costado del salón. Entre montañas de revistas y un par de repisas con libros, consiguió pararse cerca de un pizarrón de corcho terriblemente lleno de recortes y otros papeles. En el centro había un pequeño cartel impreso en tinta azul claro al que nunca le habían pegado nada encima: CARTA DE DERECHOS. LAS DIEZ ENMIENDAS ORIGINALES DE LA CONSTITUCIÓN DE LOS ESTADOS UNIDOS DE AMÉRICA.

El maestro Larson puso el plumón sobre la palabra "Constitución" y dijo:

—Sé que este año no hemos visto el tema de la Constitución, así que voy a tratar de dejar esto claro tan rápido como me sea posible. La Constitución es una lista de reglas, ¿de acuerdo? Es una lista de reglas que nos indica cómo se debe manejar el gobierno de nuestro país. Cuando la Constitución se escribió hubo quien dijo que daba demasiado poder al gobierno y no protegía lo suficiente a la gente. Y estas mismas personas dijeron que aceptarían las reglas de la Constitución, siempre y cuando hubiera una Carta de Derechos, es decir, una lista de derechos que el gobierno nunca pudiera quitar a los ciudadanos. No querían que el gobierno comenzara a actuar como un rey cruel: ya habían tenido uno de ésos, y uno era más que suficiente.

El maestro Larson dio un ligero golpe en la palabra "Enmiendas".

—Por eso hicieron las enmiendas —dijo—. Esa palabra significa "cambios". La Carta de Derechos está en uno de esos diez cambios que ahora son parte permanente de la Constitución.

—Bien, esto es lo que quiero que les quede claro. Estas diez enmiendas originales se hicieron antes de que se aprobara la Constitución. Y la primera enmienda es la primera por algo. En ella se promete que el gobierno no puede intervenir en temas de religión, ya sea en contra o a favor. Se promete que las personas son libres de expresar sus opiniones y sus ideas, como lo hizo ese comediante anoche. Y también dice que existe la libertad de prensa, que el gobierno no puede decidir qué se le permite y qué no se le permite imprimir a un diario.

Ed captó de inmediato el tema y levantó la mano como una saeta.

—¿Eso quiere decir que podemos imprimir lo que queramos en *La Gaceta de Landry?* —preguntó.

—Una buena pregunta, Ed —respondió el maestro Larson—. ¿Cuál será la respuesta, Cara? ¿Pueden publicar lo que quieran en *La Gaceta de Landry?*

—No estoy segura... —dudó Cara—. Es decir, yo ponía lo que quería en el periódico porque lo hacía todo de principio a fin. Pero ahora yo... Supongo que, si a alguien no le gusta lo que escribimos, puede impedir que usemos la impresora o la computadora.

—Pero si usáramos la computadora que tengo en mi casa y si compráramos el papel y todo, entonces podríamos publicar lo que fuera, ¿no?

El papá de Sharon era abogado.

—Sí, pero si publicaras alguna mentira sobre mí, mi papá te demandaría —dijo la chica—. ¡Y entonces tu computadora sería mía!

—Todos los comentarios son muy pertinentes —dijo el maestro Larson—. La cosa es que, cuando se publica un periódico, éste tiene que decir la verdad. Si mienten, es probable que alguien los demande, tal como dijo Sharon. Y si el periódico es de una empresa, el dueño del periódico es quien decide lo que se publica o no.

Todos guardaron silencio. Fue Ed quien formuló la pregunta que comenzaba a formarse en la mente de toda la clase.

—¿Quién es el propietario de *La Gaceta de Landry?* Cara, ¿no?

Cara negó con la cabeza:

—En realidad, no. Ya no. De hecho, siento raro que el periódico se llame así. Creo que quizá deberíamos cambiar el nombre.

—Yo no —respondió Joey—. Tú lo iniciaste y sigues siendo la editora en jefe. Voto porque el nombre se quede igual.

Cara se sonrojó ante el corto discurso de Joey y se puso más roja cuando el salón entero empezó a aplaudir y echar porras, apoyando la reciente moción del chico.

El maestro Larson llamó al orden:

—Entonces, se queda, ¿no? Volvamos a la pregunta de Ed sobre quién es el dueño del periódico. ¿Sí, LeeAnn?

—Bueno, pues la dueña de *La Gaceta de Landry* es la escuela ¿no? Es la escuela la que compra el papel y es dueña de la computadora y todo, así que es la dueña, ¿verdad?

El maestro Larson sonrió.

—Se puede decir que el periódico es de la escuela, y la cabeza de la escuela es el director. Sin embargo, al director lo contrata el consejo escolar, y al consejo escolar lo eligen los padres de familia y otras personas en Carlton y son ellos quienes pagan los impuestos de los que sale el salario del director y el de los maestros y con el que se compra el papel y las computadoras y las impresoras, ¿no es cierto? —tras una larga pausa, el maestro Larson agregó—: Cuando se administra un periódico, hay que pensar en muchas cosas, ¿no es cierto? —y con eso la lección sobre la Carta de Derechos de la Constitución y la libertad de prensa se dio por terminada.

El maestro Larson regresó a su lugar caminando entre el tiradero de revistas, libros y periódicos.

Durante un momento todos se quedaron en silencio y Cara no hizo más que observar el papel con la Carta de Derechos en el pizarrón de corcho. Se preguntaba cuánta libertad de prensa tenía en realidad *La Gaceta de Landry*.

En su mente comenzaba a formarse la sospecha de que tarde o temprano lo sabría.

¡EXTRA!

EL ÁRBITRO TOMA UNA DECISIÓN COMPLICADA

El primer viernes de diciembre se distribuyeron más de trescientas setenta copias de la novena edición de *La Gaceta de Landry*.

El Dr. Barnes leyó cuidadosamente su ejemplar sentado frente a su escritorio. Cuando llegó a la página tres, finalmente vio lo que había estado esperando, semana tras semana. Justo en medio de la página estaba el artículo de sus sueños, uno que no debía haber sido publicado en un periódico escolar. Y el Dr. Barnes estaba seguro de que la mayoría del consejo escolar estaría de acuerdo con él.

Una lenta sonrisa fue ocupando su cara y el Dr. Barnes comenzó a planear la fiesta de jubilación del maestro Larson.

Cara Landry se la estaba pasando de lo más lindo. *La Gaceta de Landry* crecía y cambiaba y ella se mantenía al día. Ya para la cuarta edición, Joey tuvo que imprimir en ambos lados de la hoja y, desde la quinta *La Gaceta de Landry* había requerido una segunda hoja de papel para la sección B.

Cara debía planear cada edición. Tenía que leer todas las notas y cada reportaje, además de ayudar a revisar y reescribir. Los martes, cuando Joey armaba todo en la pantalla de la computadora, con frecuencia Cara tenía que cortar los artículos que ocupaban más espacio.

Cara también tenía que rechazar todo aquello que le parecía que no tenía cabida en *La Gaceta de Landry*. Chrissy quería empezar una columna de chismes llamada "El chisme caliente", sobre los romances escolares y quién andaba con quién y quién cortaba a quién. Cuando Cara preguntó si la información en la columna siempre sería cierta, Chrissy tuvo que admitir que la mejor fuente de información eran las notitas que se pasaban entre amigos.

También cuando Josh quiso iniciar una clasificación semanal de los mejores atletas de sexto grado, Cara le dijo que la lista debía incluir también a chicas. Josh decidió escribir una nota sobre el kayak a mar abierto.

Con todo lo que tenía que hacer para el periódico, ya no hablemos de la tarea de las otras clases, Cara apenas tenía tiempo para escribir la nota editorial. Eso era siempre lo último que entraba al periódico, y para la quinta edición aquello quería decir que iba en la página cuatro.

En la portada de *La Gaceta de Landry* había información general e información importante: las noticias principales, un resumen de los eventos escolares y de la ciudad, un conteo de tarea semanal en el que se hacía una lista de los exámenes y proyectos pendientes. Siempre había alguna fotografía y, si quedaba espacio, la primera plana también incluía la predicción del clima del Servicio Meteorológico Nacional para el fin de semana, con todo y dibujitos de sol, nubes, gotas y copos de nieve elaborados por Alan.

La segunda página tenía consejos y otras columnas de información que se le ocurrían a los niños del salón, como una columna de preguntas y respuestas sobre mascotas.

¿Máscotas? ¡Cómo no!

Por Carrie Sumner

Querida Carrie:

Tengo una cacatúa que se llama Dingo y lo único que dice una y otra vez es: "Hermosa ave, hermosa ave, hermosa ave". Le hablo una hora al día y he intentado enseñarle a decir otras palabras, pero no le interesa. Sin importar lo que le diga ni cuántas veces se lo diga, lo único que dice es: "Hermosa ave, hermosa ave, hermosa ave". ¡Me está volviendo loco! ¿Algún consejo?

Atentamente,

Loco en Avelandia

Querido Loco:

Creo que tu ave está enojada porque le pusiste el nom-bre de un horrible perro salvaje australiano. Quiere asegurarse de ser un ave y de que es hermosa. Intenta cambiarle el nombre a Superave o Volador, a ver si funciona. Y si no, quizá debas ir pensando por qué sientes la necesidad de hablar con un pájaro en primer lugar.

Preocupada,

C.S.

Alan Rogers inició una columna en la que entrevistaba a niños sobre sus comidas favoritas y cómo conseguían que sus papás las compraran.

¡Ataque de chatarra!

Dedicado a la vida, libertad y consecución de la comida chatarra.

Por Alan Rogers

AR: Dime JJ —no es su nombre verdadero—, me dicen que has perfeccionado la forma de hacer que tu mamá compre cereal azucarado y pan dulce cuando va al súper, incluso si no vas tú con ella. Eso suena demasiado bueno para ser cierto. ¿Nos puedes hablar de esto?

JJ: Es cierto, créeme. Pero no ocurrió de la noche a la mañana. Estas cosas requieren tiempo y planeación.

AR: ¿Cuál fue el primer paso?

JJ: Le pregunté a la maestra de Biología cuál era la comida más importante del día.

AR: Pero tú ya sabías la respuesta…

JJ: Desde luego. Sabía que respondería que era el desayuno. Y cuando lo hizo, fui a casa y le conté a mi mamá que la maestra había dicho que la comida más importante del día era el desayuno.

AR: ¡Ah! Estabas asentando las bases de tu plan, ¿verdad?

JJ: Exacto. Luego me salté el desayuno por tres días. Mi mamá intentó hacerme comer, pero yo respondía que no me gustaba nada de lo que había en la casa.

AR: ¿No te morías de hambre por la mañana?

JJ: Le pedí a mi amigo ZZ —no es su verdadero nombre— que me llevara pan tostado al camión, así que todo estaba bien. Al final de los tres días, le mencioné a mi mamá que me gustaría comer unos Choco Krispis y un chocolate. A la mañana siguiente, como por arte de magia, en la cocina había una caja de cereal y una bandeja con chocolates.

AR: Bueno, pues ésta es sin duda una historia muy inspiradora, y sé que nuestros lectores agradecerán que la hayas compartido con nosotros.

Había una columna de crítica literaria y otra de consejos para videojuegos, una llamada "Lo mejor de la web" y otra, "Lo mejor de la tele y el cine este fin de semana". Como se acercaban la Navidad y

Janucá, se hizo una cuenta regresiva hasta las fiestas con una columna de los diez mejores regalos deseados por los niños de los equipos azul y rojo.

Tommy era un gran lector, y cuando estaba en quinto año había empezado a coleccionar expresiones coloquiales que le parecían graciosas. Al final, descubrió que había diccionarios enteros dedicados a las expresiones coloquiales. Le preguntó a Cara si podía tener una columna al respecto y la editora en jefe dijo que sí, siempre y cuando la columna fuera clasificación A. Tommy estuvo de acuerdo y así nació la columna llamada "Así se habla en las calles".

La sección B, la segunda hoja de *La Gaceta de Landry* era una mezcolanza de cosas. Si había algunas buenas columnas que no cabían en la segunda hoja, se iban a la sección B. Había dos tiras cómicas fijas y una o dos caricaturas, así como crónicas de las vacaciones de los niños y los lugares que les gustaban, como el Gran Cañón o el Museo de Historia. Había poemas y chistes, y LeeAnn había sorprendido a todos con una historia misteriosa y aterradora que se publicaba por entregas.

Un miércoles antes del Día de Acción de Gracias, Michael Morton se acercó a Cara después de clases cuando guardaba cosas en su casillero y le preguntó si le podía entregar una historia escrita por un amigo suyo que quería que se publicara en el periódico. Michael era un genio de la computación, quien hacía la columna "Lo mejor de la web" semanalmente. Era bastante retraído.

—Claro, Michael. Con gusto le echo un ojo —respondió Cara, metió las hojas en la mochila, tomó su abrigo y corrió para no perder el camión.

Por la noche, Cara recordó la historia, la sacó de la mochila y se dispuso a leerla. Sólo eran dos hojas escritas con tinta negra. Había muchas tachaduras y el autor claramente había presionado tanto el bolígrafo que el reverso de las hojas le recordaba a Cara la escritura en Braille, el alfabeto en relieve que usan las personas ciegas.

No aparecía el nombre del autor al principio, sólo el título del texto: "Cosas perdidas". La historia comenzaba con la siguiente frase: "Cuando supe que mis papás se iban a divorciar, lo primero que hice fue correr a mi habitación y romper en pedacitos todos mis trofeos de beisbol con el bate".

Cara se enganchó de inmediato. El protagonista de la historia era un chico y a Cara le sorprendió cómo se parecía aquello a lo que ella misma había sentido cuando su papá se marchó. El mismo tipo de enojo y furia. Y, finalmente, la llegada de la calma y el momento de encarar los hechos. La historia no tenía un final esperanzador, pero el chico sabía que la vida seguiría su curso y que tanto su papá como su mamá lo seguían queriendo como siempre, o más.

Cuando Cara terminó de leer, sentía un nudo en la garganta y tenía los ojos llenos de lágrimas. Se percató de que tampoco al final aparecía el nombre del autor. Así supo que aquélla no era una historia de ficción. Era la vida real. Era la historia del mismísimo Michael Morton.

Cara salió de la cama y bajó a la sala, secándose los ojos con la manga de la bata de casa. Su mamá estaba sentada en el sillón viendo el final de algún programa de televisión, de modo que Cara se sentó con ella unos cinco minutos.

Cuando terminó el programa, Cara tomó el control remoto y apagó la televisión. Luego le dio las hojas a su mamá.

—¿Lo puedes leer, por favor? Alguien quiere que lo incluyamos en la siguiente edición del periódico.

Joanna Landry se quitó los lentes y dijo:

—Claro, mi amor. Con gusto.

Cara observó el gesto de su mamá mientras leía, y se dio cuenta de que se le llenaron los ojos de lágrimas casi cuando llegó al final.

Conteniendo el llanto, su mamá se dirigió a Cara y dijo:

—Si no supiera que no es así, habría pensado que tú misma escribiste esta historia, cariño. Me parece muy buena, ¿a ti no?

Cara había llevado a casa una copia de cada edición de *La Gaceta de Landry* y su mamá las había pegado orgullosa en la pared de la cocina. Estaba muy contenta de ver a Cara haciendo algo tan bueno, tan bien, al tiempo que se divertía y ponía en práctica sus talentos. Entregándole las hojas tachoneadas, preguntó:

—¿Lo vas a incluir en el periódico?

—No estoy segura —respondió Cara—. Me parece que lo mejor será hablar al respecto con el maestro Larson.

Y tras el fin de semana largo del Día de Acción de Gracias, Cara le pidió a su mamá que la llevara temprano a la escuela para poder mostrarle el texto al maestro Larson antes del inicio de las clases.

El maestro Larson se ajustó los lentes y se llevó las hojas junto a la ventana para tener mejor luz. Tres minutos más tarde ya había terminado de leer y le brillaban los ojos.

—Este chico sin duda supo capturar la esencia de la fuerte experiencia que vivió —dijo, buscando un pañuelo.

Cara asintió.

—Quizá no deba ponerla en el periódico, ¿verdad? —preguntó.

El maestro Larson volvió a ver el texto y se lo entregó a Cara:

—Dime tú qué opinas sobre esto, Cara.

Cara se quedó callada por un momento mientras el maestro Larson se dirigía a su escritorio por su taza de café.

—Bueno, pues lo primero es que estoy segura de que se trata de una historia real, así que, de cierta forma, es contarle a toda la escuela un tema estrictamente personal. Puede que a algunos eso no les guste, como al papá o a la mamá, por ejemplo. Es decir, esa parte en la que dice que huyó de su casa y llegó la policía y eso...

Cara se detuvo esperando alguna reacción por parte del maestro Larson, quien sólo dio un trago a su café, miró por la ventana y volvió a mirar a Cara.

—Dijiste estar segura de que se trataba de una historia real. ¿La intención es hacerle daño a alguien?

Cara negó con la cabeza.

—No, de hecho a mí hasta me ayudó —dijo, sonrojándose al mismo tiempo.

El maestro Larson simuló no darse cuenta y agregó rápidamente:

—Pues a mí me ayudó también.

—Entonces, ¿debo incluirla en el periódico? —preguntó Cara.

—Agradezco que hables conmigo de esto, pero ésa es una decisión que debe tomar la editora en jefe. Yo apoyaré tu decisión, cualquiera que sea —dijo el maestro Larson.

Cuatro días después, el primer viernes de diciembre, en el centro de la página tres de la novena edición de *La Gaceta de Landry,* se publicó un texto de autor anónimo titulado "Cosas perdidas".

Era la misma historia que el Dr. Barnes estaba tan emocionado de haber encontrado en el periódico de la clase.

El lunes posterior a la publicación de la novena edición, el maestro Larson recibió un enorme sobre de papel manila de parte del Dr. Barnes, entregado a mano por la señora Cormier antes del inicio de las clases, en caso de que se le olvidara revisar el buzón de correspondencia. En el sobre había dos cosas. La primera era una copia de la carta del Dr. Barnes al superintendente de educación y a cada uno de los siete miembros del consejo escolar, en la que solicitaba una reunión urgente con respecto a "un proceso disciplinario en contra del maestro Larson". En la carta se afirmaba que "el maestro Larson había permitido que el artículo adjunto se publicara en el periódico del salón de clases bajo su supervisión, del que se distribuyeron más de trescientas copias en la escuela y el resto de la comunidad". Entre las frases

127

de la carta se incluían "falta de buen juicio profesional", "indiferencia por la privacidad individual", "comportamiento poco profesional", "uso inapropiado de los recursos escolares" y "falta de sensibilidad ante los valores de la comunidad". Una fotocopia de la página tres de la novena edición de *La Gaceta de Landry* estaba engrapada a la carta, y encerrada en un círculo se veía la nota sobre el divorcio.

La segunda cosa que había en el sobre era una carta dirigida al maestro Larson de parte del Dr. Barnes, informándolo de la acción disciplinaria en su contra. En la misiva se le informaba que se trataba de una audiencia pública y que considerara tener un abogado presente en la misma. La secretaria del sindicato de maestros había sido informada al respecto. El Dr. Barnes le recordaba también al maestro Larson que, si así lo deseaba, tenía la opción de renunciar. Si lo hacía, no habría necesidad de llegar a la audiencia como acción disciplinaria. Sencillamente podría comenzar su jubilación sin escándalos, y ése sería el fin de todo el asunto. El Dr. Barnes terminaba la carta diciendo que la publicación de *La Gaceta de Landry* debía suspenderse inmediatamente.

El maestro Larson se dejó caer en la silla, con los largos brazos colgando a los costados. Sentía como si lo hubieran pateado en el estómago. La amenaza de perder el empleo era real. Desde la llegada del Dr. Barnes a Denton, siete años atrás, el maestro Larson supo que era sólo cuestión de tiempo antes de que ocurriera algo así: "Quizá me lo merezco", pensó Larson. "He sido un pésimo maestro; un maestro a medias durante ya mucho tiempo. Quizá la escuela esté mejor sin mí. Probablemente esto era de esperarse". Sin embargo, Karl Larson estaba absolutamente seguro de una cosa. Los niños no merecían algo así. *La Gaceta de Landry* era maravillosa. Y lo que más le dolía era que por sus propios problemas, no los de los niños, el Dr. Barnes usaría este inocente y pequeño periódico como látigo para ponerlo de patitas en la calle. Aunque ahí sentado e inmóvil en la silla, el maestro Larson le dio la vuelta al problema.

Olvidó su situación y se concentró en cómo proteger a sus alumnos de la fealdad suscitada por todo aquello. Quería asegurarse de que ninguno de ellos saliera lastimado. Cuando empezó a pensar en los niños, la pesadumbre lo abandonó. Y luego, de golpe, el maestro Larson tuvo una idea y se incorporó en la silla como un rayo.

Y la idea que se formó en su mente resultaba increíblemente sencilla. Era un plan que podría proteger a los niños y quizá a él mismo también, e incluso al Dr. Barnes.

Una sola palabra resumía la solución: enseñar.

La edición más reciente de *La Gaceta de Landry* estaba sobre el escritorio junto a las cartas del Dr. Barnes. El maestro Larson miró de una a las otras y sonrió. Los demás podían enojarse y preocuparse cuanto quisieran, pero él no pensaba hacerlo. ¿Por qué? Fácil: porque sus alumnos usarían esa situación como una gran y emocionante experiencia con el objetivo de aprender sobre la Primera Enmienda y la libertad de prensa.

¿Y quién sería el encargado de transformar aquel desastre en algo de gran belleza educativa?

El maestro Karl Larson.

Cara se sentía fatal. El maestro Larson acababa de anunciarle a la clase que *La Gaceta de Landry* ya no se publicaría más, al menos no en lo inmediato. Había hecho diapositivas de las cartas del Dr. Barnes para proyectarlas sobre la pantalla y que pudieran ser vistas por todo el salón mientras él explicaba lo que estaba ocurriendo. Luego les mostró una diapositiva de la historia escrita por el chico y el divorcio de sus papás.

—Ahora bien, es importante que cada uno de nosotros piense en esto con claridad —dijo el maestro Larson; mirando a las veintitrés caras que lo observaban desde el salón en penumbras, sus ojos se encontraron con los de Cara un instante antes de volverse hacia la pantalla—. Algunos de ustedes pueden verse tentados a pensar: "Ay, si tan sólo no hubiéramos publicado esa nota, todo estaría bien". Pero ¿es eso cierto? No lo es. Porque si no hubiera sido esa nota, habría sido cualquier otra reseña o crítica literaria sobre algún libro que alguien considerara inapropiado. Deben recordar que publicar esta historia fue lo correcto. Se trata de una historia maravillosa y valiente y sé que le hizo mucho bien a muchas personas que la leyeron y pensaron en ella. Y muchos me dijeron que es lo que mejor que ha publicado *La Gaceta de Landry* hasta ahora. Así que eso es lo primero: el periódico sólo publicó la verdad.

Sonaba bien escuchar al maestro Larson expresarlo de esa forma, pero eso no hacía sentir mejor a Cara. Tenía una copia del periódico sobre su pupitre y no dejaba de pensar lo mismo una y otra vez: "Debí haberlo sabido. Debí haber pensado en el maestro Larson y no sólo en este estúpido periódico. Debí haberle regresado la historia a Michael Morton. Debí haberlo sabido". Volvió a la realidad del salón de clases en el momento en el que el maestro Larson apagó el proyector y Sharon encendió las luces.

Mientras todos ajustaban sus ojos a la luz del salón, el maestro Larson dijo:

—A alguien le parece que el divorcio es un tema muy personal y que no debe tocarse en un periódico escolar. Yo soy el maestro que está a cargo y soy, por lo tanto, el responsable, así que parece que estoy metido en problemas. Pero ¿es así en verdad?

Abriéndose paso para llegar al pizarrón de corcho, el maestro dio un par de golpecitos a la Carta de Derechos y luego se quedó con el dedo señalando la Primera Enmienda.

—¿Soy yo el que está en problemas o acaso es alguien más?

El maestro Larson podía ver en las caras de los niños que estaban entendiendo. Fue Cara quien lo dijo:

—La que se encuentra en problemas es la Primera Enmienda: la libertad de prensa —luego frunció el ceño y agregó—: pero creo que usted también.

El maestro Larson sonrió conmovido por la preocupación de Cara.

—Estoy seguro de que no debemos preocuparnos por eso. Hemos hecho un buen trabajo y ahora, gracias a esta situación, aprenderemos sobre la libertad de prensa de una manera en la que no muchos maestros ni alumnos pueden hacerlo. Además, ya antes he estado en problemas, y déjenme decirles que éste es de los mejores en que me he metido.

Algunos de los niños rieron un poco con lo dicho por el maestro Larson, pero Cara no. Desde el frente del salón, el maestro Larson la miró. Estaba tensa en la silla, mirando fijamente la copia de *La Gaceta de Landry* mientras se mordía el labio inferior.

Ya en su escritorio, el maestro Larson tomó un montón de hojas engrapadas y se las fue entregando a los chicos.

—Éste es el material de estudio para el tema. Por favor, vayan a la página uno.

Durante los siguientes diez minutos, el maestro Larson le explicó a la clase los diferentes pasos a seguir en el proceso: lo que pasaría antes de la audiencia, en la audiencia misma y lo que ocurriría después. Quería asegurarse de que no había nada misterioso ni atemorizante para los alumnos. No convirtió al Dr. Barnes en el villano del cuento ni se hizo la víctima. No era un tema de "ellos contra nosotros". Sencillamente era una competencia entre dos ideas diferentes sobre lo que es correcto y lo que es lo mejor para el mayor número de personas.

Mientras el maestro Larson explicaba todo con calma, Cara se relajó un poco. No se estaba haciendo el valiente; era evidente para Cara que realmente estaba disfrutando todo eso. Y cuando el maestro Larson cerró los ojos y se frotó las manos para decir: "¡Es como si tuviéramos nuestro propio laboratorio sobre democracia!", incluso Cara tuvo que sonreír.

La niña hojeó el resto del material y llegó hasta la última hoja para darse una idea de dónde acabaría todo aquello. En la última página sólo había una palabra: Conclusiones. El resto estaba en blanco.

Aquella página en blanco le dio cierta paz a Cara. Estaba acostumbrada a las páginas en blanco y a llenarlas con cosas ciertas y buenas. Para Cara, esa última hoja representaba esperanza.

—¿Está queriendo usted decir, jovencita, que no tenían ninguna intención de distribuir el periódico por toda la escuela el día de hoy? El periódico está por todos lados, hasta en el suelo de los camiones.

Cara respondió con calma:

—No trajimos una sola copia del periódico a la escuela. De verdad. Tenemos amigos en prácticamente todas las paradas del autobús, y teníamos listos los periódicos, así que los entregamos. Incluso nos aseguramos de estar en los jardines de las casas y no en la banqueta, porque las banquetas son propiedad de la ciudad y, cuando los niños esperan ahí el camión, es como si se tratara de propiedad de la escuela. Sin embargo, una vez que repartimos los periódicos entre nuestros amigos, ya no depende de nosotros ni es nuestra responsabilidad a dónde los llevan.

Cara se acercó más al escritorio y señaló un pequeño símbolo añadido por Joey al final de la primera plana.

—Incluso nos encargamos de recordarle a los niños que deben reciclar el periódico —Cara se sentó más derecha—. ¡Ah, ya sé! La semana que viene podemos incluir la leyenda: Recuerda no tirar basura, para ver si eso ayuda.

Cara hizo una pausa, sonriendo distraída al Dr. Barnes, cuyos lóbulos ahora también estaban color rojo fuego.

—¿Y adivine qué? —dijo Cara, animada.

—¿Qué? —le preguntó el Dr. Barnes casi en un susurro.

—Si le da la vuelta al periódico, hasta abajo puede ver la dirección de nuestro portal en Internet. ¿No está maravilloso? La semana que viene *El Guardián* estará en línea y así no tendremos que usar papel. ¡No habrá basura! ¿No le encanta?

Al Dr. Barnes le molestaba demostrar las emociones, especialmente el enojo. No era una actitud profesional. De modo que con una voz anormalmente baja dijo:

—Sí, qué buena idea, Cara. Por favor, sal por la oficina principal y pídele a la señora Cormier que te dé un... justificante... para que lo entregues a tu maestro. Cierra la puerta cuando salgas.

Dos minutos más tarde, Cara salió de la oficina. La puerta del Dr. Barnes seguía cerrada.

Si no hubiera sido contra las reglas, Cara Landry hubiera ido dando saltitos de alegría por el pasillo hasta el salón de la clase de Ciencias.

A lo largo de los últimos años, el maestro Larson no había sido el favorito entre sus compañeros de trabajo. Era demasiado indiferente, solitario. La mayoría de los maestros no aprobaba el escándalo que se formaba en sus clases. Para los que llevaban mucho tiempo en la escuela, ver al maestro Larson desinteresarse por la enseñanza había sido particularmente triste, porque aún recordaban al Larson de antes.

La Gaceta de Landry había llamado la atención de todos. Todos los maestros vieron crecer el periódico de una hoja a tres y cuatro. Vieron la calidad de los textos y se maravillaron.

—¡Son alumnos de sexto! —se decían los unos a los otros mientras pasaban el periódico de mano en mano en la sala de maestros—. ¡Larson puso a niños de sexto a hacer este tipo de trabajo! ¡Sorprendente!

Casi todos los maestros conocían a Cara Landry. Sabían que gran parte del éxito del periódico se debía a su trabajo y energía. Pero también sabían que no era una casualidad que *La Gaceta de Landry* hubiera salido del salón 145. Sin la experiencia y guía del comprensivo Karl Larson, ésta no habría llegado a ser lo que era. Así, cuando la representante del sindicato de maestros recibió la notificación de la audiencia disciplinaria, todos se unieron a favor del maestro Larson. Hubo una junta y se votó por unanimidad la decisión de apoyarlo.

De inmediato, la maestra Steinert escribió un comunicado de prensa sobre la situación. Un comité se dedicó a duplicar las nueve ediciones de *La Gaceta de Landry* y a enviar los juegos junto con el boletín a todos los periódicos, estaciones de radio y de televisión en Chicago y la zona conurbada. Imprimieron volantes con la historia del divorcio y los enviaron a la casa de todos los contribuyentes de Carlton, con la pregunta: "¿Alguien debería ser despedido por esto?".

La esposa del maestro Larson era muy activa en el sindicato de maestros en Chicago, y todas las primarias, secundarias y preparatorias del área metropolitana recibieron una copia del comunicado de prensa sobre la audiencia y las acusaciones. El presidente del sindicato hizo una declaración en televisión sobre la importancia de apoyar la libertad de expresión y la libertad de cátedra.

periódico de los niños para ilustrar la nota. Ted me dijo que nos daría dos minutos en el segmento de noticias locales, pero tenemos que correr si queremos terminar a tiempo —todo el personal del noticiero se metió en dos camionetas blancas y salieron derrapando hacia el centro de la ciudad.

Cara estaba decepcionada. Pensó que podría hablar más. No alcanzó a decir ni tres oraciones seguidas y se trataba de una historia muy complicada. Cincuenta o sesenta palabras no eran suficientes. ¿Y cómo había llamado la reportera al maestro Larson? ¿"El maestro al que le quieren dar cuello"? Cara se estremeció ante esa frase, deseando haber usado su tiempo frente a la cámara para decir algo que hubiera podido ayudar a su maestro.

Joanna Landry se acercó a Cara y le puso un abrigo sobre los hombros. Le sonrió a su mamá y le dijo:

—Ahora sé porque me gustan más las notas de periódico que los reportajes de televisión —su mamá asintió y sonrió.

—Esa reportera era dura de roer. Y aún así lo hiciste muy quien, cariño. Ahora vamos a meternos, que hace frío.

Con base en el número de llamadas recibidas en la oficina del superintendente, se decidió cambiar la ubicación de la audiencia al auditorio de la preparatoria para que cupieran todos los que planeaban asistir.

Durante los diez días previos a la audiencia, el maestro Larson y su clase vespertina siguieron de cerca lo que pasaba en el caso y cómo se relacionaba con la Primera Enmienda. Los niños observaron el impacto de la cobertura televisiva y periodística. Revisaron la entrevista del maestro Larson en el periódico y la compararon con la aparición de Cara en televisión, y luego compararon ambas con las otras entrevistas del Dr. Barnes y el superintendente. Se dividieron en equipos, debatieron y pusieron una nueva capa de caricaturas, fotos y recortes de periódico sobre los pizarrones de corcho del maestro Larson.

El maestro Larson estaba más contento de lo que se había sentido en años. Cuando llegó el día de la audiencia, estaba listo para hablar con la cabeza en alto. Y todos sus alumnos planearon estar presentes.

Para la mayoría de la gente, ésa no era más que una audiencia disciplinaria. Sin embargo, para el maestro Larson y sus alumnos era la última lección del plan de trabajo sobre el tema más interesante que hubieran estudiado jamás.

¡EXTRA!

EQUIPO
LOCAL VA
POR TODO

Poco antes de las siete y media, una noche de martes durante el mes de diciembre, el maestro Larson se enderezó la corbata, besó a su esposa y se dio la vuelta para caminar por el inclinado pasillo del auditorio de la escuela preparatoria. Una fila de mesas plegables ocupaba la parte delantera del escenario. Tras sentarse frente al Dr. Barnes en la primera mesa, el maestro Larson se volvió a mirar al público. Le pareció que había al menos cuatrocientas personas en el lugar.

Su esposa se sentó cerca del fondo del auditorio y le sonreía. Los niños de su clase estaban regados por todo el lugar, con uno o ambos papás. Cara y su mamá estaban sentadas en la cuarta fila y, cuando Larson las miró, Cara le lanzó una sonrisa nerviosa y lo saludó con una mano un poco temblorosa. El maestro se sentía observado ahí al frente del auditorio, pero no sólo.

Había algo que el maestro Larson no había comentado con los niños del salón. Era muy posible que la batalla por la libertad de expresión se ganara, pero que él de todas formas perdiera su empleo.

Es cierto que la opinión pública importaba. Los reporteros y las cámaras de televisión de dos de las tres principales cadenas estaban presentes. Pero al final todo dependería de la votación del consejo escolar. El maestro Larson sabía que de las siete personas que lo conformaban, a tres les gustaría verlo partir y otros dos no lo querían gran cosa. Sería una batalla cuesta arriba.

A las siete y media en punto, el superintendente llamó al orden. La presidenta del consejo escolar, la señora Deopolis, leyó el anuncio de la audiencia y presentó al Dr. Barnes. Dado que había sido el Dr. Barnes quien había presentado la queja, le correspondía hablar primero.

—Señora presidenta —comenzó—, el viernes 7 de diciembre leí la más reciente edición de este periódico escolar y encontré una nota sobre divorcio que me pareció inapropiada. Como usted sabe, de inmediato se lo señalé al consejo y al superintendente. Al parecer, ustedes estuvieron de acuerdo con que el contenido era inapropiado y, dado que el maestro Larson había aceptado toda responsabilidad por el contenido del periódico, estuvieron también de acuerdo en que esta audiencia disciplinaria era necesaria. Señora presidenta, ¿sería tan amable de explicar a los presentes lo que al consejo le pareció inapropiado en esta publicación?

Mientras el Dr. Barnes tomaba asiento, la señora Deopolis se acercó al micrófono y dijo:

—Sí, Dr. Barnes. Nos pareció que el tema y le descripción del sufrimiento del chico eran demasiado personales, y que el tema del divorcio requiere una madurez que no tienen los lectores del periódico que están en primaria. El consejo considera que permitir que se publicara esta historia representa un grave error de juicio por parte del maestro Larson. A la luz de otras quejas sobre las habilidades y el desempeño del maestro Larson, acordamos que la audiencia disciplinaria era necesaria —se volvió al maestro Larson y le preguntó—. Maestro Larson, ¿está presente su abogado o se representará usted mismo?

El maestro Larson se puso de pie y, con un micrófono de mano, dijo:

—Me representaré yo mismo, señora presidenta —se alejó de la mesa y se dirigió a los miembros del consejo—. Para mí este asunto de la historia publicada en *La Gaceta de Landry* es muy sencillo. Sí, el Dr. Barnes me responsabilizó del contenido del periódico y yo le pasé la responsabilidad a los alumnos. Es verdad que el Dr. Barnes pidió ver todas las ediciones del periódico antes de su impresión y yo me negué a aceptar la solicitud. Pero el Dr. Barnes no insistió en revisar cada periódico, lo cual es su derecho, en tanto director. En su lugar, me dejó la responsabilidad a mí. No me dio lineamientos sobre cuáles eran los temas que no le parecían apropiados, así como el consejo escolar no tiene políticas claras respecto a los periódicos escolares. De acuerdo con la decisión de la Suprema Corte en el caso Hazelwood, el consejo escolar debe tener un conjunto claro de políticas para poder censurar un periódico estudiantil.

El maestro Larson hizo una pausa y miró al Dr. Barnes:

—De modo que, como yo lo veo, se me está acusando de permitir algo que nadie nunca me informó que no debí haber permitido en primer lugar. Eso, o el verdadero tema son en realidad todas las quejas anteriores sobre mis prácticas educativas a las que hizo referencia la señora presidenta.

El maestro Larson volvió a su lugar, abrió el portafolios y sacó una copia del artículo.

—Como parte de mi declaración, me gustaría leer en voz alta la historia a la que se hace referencia para que todos los presentes y quienes nos están viendo por televisión puedan juzgar por sí mismos si es o no apropiada —los miembros del consejo susurraron entre ellos, mientras tapaban los micrófonos con las manos.

Los susurros se detuvieron y la señora Deopolis continuó:

—Dado que es parte de su defensa, tiene derecho a leer la historia publicada para que se incluya en los expedientes, maestro Larson.

Una mujer en la sexta fila de inmediato se puso de pie y levantó la mano. La señora Deopolis asintió en su dirección y un niño explorador corrió hasta ella con un micrófono inalámbrico.

—Gracias, señora presidenta. Mi nombre es Allie Morton, y mi hijo Michael me ha pedido que pregunte si sería posible que él leyera la historia en voz alta. Fue él quien la escribió y se trata del divorcio que atravesó mi familia el año pasado.

Todos en el auditorio dejaron escapar una expresión de sorpresa al mismo tiempo. Pero Cara Landry no lo hizo. Sabía que eso iba a ocurrir. Había hablado con Michael una semana antes para pedirle que leyera la historia para que la gente supiera que se trataba de una historia real. Al principio Michael dijo que no. Pensó que estaría demasiado nervioso. Pero tras hablarlo con su mamá, llamó a Cara y le dijo que lo haría por el maestro Larson. Cara se sentó en la orilla de la silla para ver lo que ocurría.

Tras otra apresurada deliberación entre los miembros del consejo, se acordó que Michael Morton podría leer su propio texto y que quedara registro de ello. Caminó entre las rodillas de los espectadores de la sexta fila y llegó hasta donde estaba el maestro Larson, quien le entregó la copia y le sostuvo el

micrófono. Michael se quitó la maraña de pelo castaño de los ojos, miró a su mamá en la sexta fila y luego
a Cara Landry en la cuarta. Se concentró en la hoja
y comenzó a leer, entrecerrando los ojos debido a las
fuertes luces de los equipos de cámaras de televisión.

Cosas perdidas

Cuando supe que mis papás se iban a divorciar,
lo primero que hice fue correr a mi habitación y
romper en pedacitos todos mis trofeos de beisbol con el bate.

Tenía ganas de huir de casa. Tengo muchos
amigos con papás divorciados, pero nunca pensé
que eso podía ocurrirle a mi familia. Me sentía per-
dido. Esto lo arruinaría todo. Mi mamá me dijo que
mi papá se mudaría de casa y viviría en otro lugar.

Decía cosas como: "No te preocupes"; "Todo va a
estar bien"; "Estas cosas pasan". Y me dijo que podría ver a mi papá cuando yo quisiera. Y yo no le creí.

Mi papá me llevó a cenar. Quería hablar conmigo.
Me dijo que sería difícil para mí entenderlo, pero que
ya no amaba a mamá. Tenía razón: eso era parte
de lo que yo no entendía. Es decir, a veces yo mismo
le digo "te odio" a mi mamá y a mi papá, y también
a veces siento que odio a todo el mundo. Pero no es
así en realidad y pronto las cosas vuelven a la nor-
malidad. Sé que nunca podría dejar de querer a mi

papá. Y nunca podría dejar de querer a mi mamá. Y pensé que, si mi papá podía dejar de querer a mi mamá, también podría dejar de quererme a mí.

Cuando mi papá fue a pagar la cuenta, salí corriendo del restaurante y me escondí en los arbustos cercanos al estacionamiento. Lo vi salir y buscarme; gritaba mi nombre y se veía asustado y muy preocupado. Y a mí me dio gusto. Lo estuve observando hasta que se subió a su auto a hablar por teléfono y luego salió del estacionamiento en dirección a nuestra casa a toda prisa.

Caminé hasta casa de mi amigo John, pero no estaba. Seguí caminando sin rumbo. Ya había oscurecido cuando llegué a casa y había una patrulla. Cuando entré, mi mamá corrió a abrazarme, pero no se lo permití. Mi papá dijo que estaba en problemas y me castigó. Pero yo dije: "¿Cómo me vas a castigar? Ni siquiera vas a estar aquí para ver si cumplo, ¿no es cierto?". Luego me fui a mi habitación y azoté la puerta con todas mis fuerzas.

Eso fue hace cerca de un año. Mi papá se cambió de casa y ya se casó otra vez. Yo nunca me fui de casa, ni siquiera durante unas horas. Pero lloraba mucho, tarde y noche. Y sé que a algunos les parecerá una ridiculez, pero no podía evitarlo. Y un día mi mamá tardó en llegar de trabajar y no me avisó, ni me envió algún mensaje y nadie contestaba en su oficina. Me asusté y corrí a su habitación a ver si su ropa seguía en el clóset. Fue una idiotez, pero me daba miedo que también se hubiera ido.

A veces no soy tan feliz como solía serlo, pero intento no demostrarlo. Creo que mi mamá sí es más feliz, aunque si yo me siento triste, le arruino el buen humor y entonces las cosas se complican para ambos. Las cosas no están tan mal, sólo son diferentes. Me di cuenta de que mi mamá tenía razón, porque todo estaba bien, y cuando me dijo que "estas cosas pasan", también tenía razón, porque me pasaron a mí.

También descubrí que mi papá todavía me quiere. Incluso sé que quiere a mi mamá, sólo que no es amor de casados. La verdad es que no lo veo mucho. No está conmigo todos los días, ni por las noches, salvo un fin de semana al mes. Pero sé que me quiere. Sencillamente lo sé y, a veces, saber algo tiene que bastar.

Cuando Michael acabó de leer, las personas del público buscaban pañuelos desechables entre sus cosas. Hubo aplausos espontáneos y así regresó a su lugar en el auditorio. Después de sentarse, su mamá le pasó el brazo por los hombros y lo apretó.

Ya con silencio en la sala, el maestro Larson dijo:

—Gracias, Michael —luego levantó la hoja que acababa de leer el chico y dijo—: ¿Cómo puede alguien decir que esto es contenido inapropiado y que los niños no deben leerlo ni pensar en ello? Los papás y otras personas con muy buenas intenciones, entre las que se encuentra el Dr. Barnes y todos los que sólo queremos lo mejor para los niños, quizá no quieran admitir que cosas como el divorcio ocurren y son muy problemáticas para los pequeños, pero así es. Y si los niños pueden ser honestos y admitirlo, ¿por qué nosotros no?

"Sé que mi estilo de enseñar es poco convencional, y el Dr. Barnes y yo solemos no estar de acuerdo con ese tema desde que llegó aquí hace siete años. ¿Pude haber sido un mejor maestro durante todo ese tiempo? Sí. Lo admito. Pero lo que ocurrió con este periódico, y que incluye que se publicara esta historia, es de lo mejor que hecho en los diecinueve años que llevo enseñando. Si me despiden, les ruego que sea por otra cosa y no por esto.

"Todos, incluido el Dr. Barnes, saben bien que en un auditorio con cuatrocientas personas personas de pie aplaudiendo, con cámaras de televisión grabando y reporteros anotando furiosamente en sus cuadernos, no es buena idea despedir a la persona a la que todos vitorean.

En menos de un minuto, mientras el público seguía en plena ovación, la señora Deopolis hizo una breve votación entre los miembros del consejo y anunció que la audiencia disciplinaria en contra del maestro Larson había terminado.

Cara Landry había hecho lo que le pidió el maestro Larson y dejó de publicar *La Gaceta de Landry*. Aunque *El Guardián* la mantenía muy ocupada, Cara no había dejado de escribir *La Gaceta de Landry* ni tampoco había dejado de imprimirla. Mientras el público salía, Cara se quedó en su lugar de la cuarta fila y se dispuso a observar.

Joey y Ed estaban a cada costado de las puertas del ala norte del auditorio; LeeAnn y Sharon se colocaron en las puertas del ala sur. Estaban entregando la edición especial de *La Gaceta de Landry*.

Cara buscó en el bolsillo de su abrigo y sacó una copia que le llevó al maestro Larson, quien estaba rodeado por reporteros. Se detuvo a media palabra cuando Cara le puso la copia en la mano y miró de la hoja a la niña y de vuelta a la hoja. Cara se hizo a un lado y lo miró mientras el maestro leía el periódico completo.

La edición especial no era más que el frente de una hoja y tenía un solo titular: "¡Larson reivindicado!".

La única otra cosa que aparecía era una nota editorial:

El corazón de las noticias

Cuando *La Gaceta de Landry* eligió como su lema "Verdad y Virtud", lo hizo para recordarnos a nosotros mismos que un buen periódico debe

contar con ambas cosas. Un periódico que sólo cuenta datos duros y verdaderos es como un témpano de hielo que rompe todo lo que
está a su paso. Un periódico que sólo se fi-
ja en el lado suave y dulce de las cosas es como una aguamala, blanda y sin carácter. Desde
el principio, *La Gaceta de Landry* ha intentado ser periódico equilibrado y de buen corazón.

Ya llevo seis años yendo a la escuela. Algunos
de esos años fueron buenos y felices, y otros fueron duros y fríos. En gran medida depende de qué
maestros te tocan. Pero también dependía de mí.

El mejor año de todos ha sido éste. Este año
tiene buen corazón. Y eso se debe a que el corazón de este año es el maestro Larson.

Los chicos que trabajan en el periódico se
dieron cuenta de que hace unos quince años el
maestro Larson fue elegido Mejor Maestro del
Año tres veces consecutivas. Estamos seguros
de que muy pronto el maestro Larson volverá a
ser el Maestro del Año. Para todos los que traba-
jamos en *La Gaceta de Landry*, ya lo es.

Y así son las cosas esta semana desde la oficina de la editora.

Cara Landry
Editora en jefe

GUARDIÁN

KARL LARSON

63

BARNES

JOE

CETA DE LANDRY

VERDAD Y VIRTUD

CARA LANDRY

EDITORA

PRIMERA
ENMIENDA
1791

MASCOTAS!
¡COMO NO!
POR CARRIE

ÍNDICE

Impreso en los talleres de
Litográfica Ingramex, S. A. de C. V.
Centeno 162-1, Granjas Esmeralda,
Iztapalapa, C. P. 09810,
Ciudad de México, México.
Abril de 2019.